500
mijotés

mijotés

Rebecca Baugniet

Direction éditoriale : Robert Davies
Éditeur : James Tavendale
Assistante éditoriale : Tanya Laughton
Direction artistique : Michael Charles
Photographies : Ian Garlick
Consultante spécialisée : Gizzi Erskine

Première édition en 2009 par Quintet Publishing Limited
6 Blundell Street, London N7 9BH
Sous le titre *500 Casseroles*

Adaptation et réalisation de l'édition en langue française : MediaSarbacane
Traduction : Hanna Agostini

Les Éditions Publistar
Groupe Librex inc.
Une compagnie de Quebecor Media
La Tourelle
1055, boul. René-Lévesque Est
Bureau 800
Montréal (Québec) H2L 4S5
Tél. : 514 849-5259
Téléc. : 514 849-1388
www.edpublistar.com

Dépôt légal – Bibliothèque et Archives nationales du Québec
et Bibliothèque et Archives Canada, 2010.

ISBN 978-2-89562-371-7

Imprimé en Chine.

Sommaire

Introduction

Le mijoté est le plat unique idéal, tout à la fois savoureux, généreux et rassasiant à souhait. Ce type de préparation traditionnelle, facile à réaliser et à servir, peut de plus faire l'objet – à moindres frais – d'un grand nombre de variantes, en substituant quelques ingrédients à d'autres. On peut enfin aisément le transporter, que ce soit chez des parents ou des amis, voire de nouveaux voisins pour leur souhaiter la bienvenue.

Le mijoté convient parfaitement à ceux qui sont en quête d'un plat équilibré et nutritif, dont la préparation ne soit pas trop longue et ne nécessite pas d'ustensiles aussi nombreux que sophistiqués.

La réalisation d'un mijoté se décompose en plusieurs petites tâches, dont chacune ne requiert que quelques minutes. Si vous êtes pressé et que vous souhaitiez brûler une étape, n'hésitez pas, par exemple, à utiliser de la sauce tomate du commerce ou à substituer à de la sauce blanche une boîte de crème de champignons ou de crème de volaille.

Les mijotés présentent également l'avantage appréciable de pouvoir être préparés à l'avance. Un coq au vin peut ainsi être cuisiné la veille et simplement réchauffé le jour J. Il n'en sera d'ailleurs que meilleur. Ces préparations offrent encore l'avantage d'être très économiques. On y met généralement des morceaux de viande peu chers, qui sont savoureux à condition d'être braisés ou mijotés longuement. Plat unique idéal, le mijoté se passe par définition d'accompagnements sophistiqués. Un bon pain bien croustillant ou – parfois – une salade composée assaisonnée d'une simple vinaigrette font parfaitement l'affaire.

En France, les mijotés sont traditionnellement cuisinés depuis le XVIe siècle dans des plats en terre cuite, mais le principe de la préparation de viandes et de légumes en sauce remonte à la nuit des temps. Elle est d'ailleurs connue de toutes les civilisations ; il n'est que de songer au tajine marocain ou au goulasch hongrois. Chaque région du globe a ainsi sa spécialité en matière de viande et de légumes cuisinés en sauce et rehaussés d'herbes aromatiques et d'épices. Ce type de mets a été remis au goût du jour aussi bien par les grands chefs que par les ménagères. Alors que les plats ultrasophistiqués de la cuisine moderne passent peu à peu de mode, on note un regain d'intérêt pour les préparations traditionnelles plus rustiques.

Sans prétention, les mijotés représentent ce dont nous rêvons : des plats « à l'ancienne » aussi généreux que savoureux. L'intérêt renouvelé dont ils font l'objet coïncide de fait avec l'essor du mouvement « slow-food », qui fait la promotion des mets traditionnels, met l'accent sur leur saveur et se préoccupe de l'impact de nos choix nutritionnels sur l'environnement.

Pour la plupart remises au goût du jour, les préparations que nous vous proposons ne sont pas toutes des mijotés proprement dits. Vous découvrirez ainsi des recettes de pâtes et de risottos, par exemple. Cependant, presque toutes sont cuisinées dans des cocottes en fonte ou dans des récipients allant au four et servies dans le plat de cuisson. À quelques exceptions près, elles comprennent des sauces à base de crème ou de bouillon. Elles sont également souvent gratinées (au fromage ou à la chapelure) et peuvent, généralement, constituer un plat unique. La plupart ne requièrent que peu de temps de préparation. Délicieuses et simples à réaliser, elles conviennent parfaitement pour les grandes tablées. Quelle que soit la recette par laquelle vous commencerez, respectez bien les étapes : elles ont fait leurs preuves depuis longtemps. Dans tous les cas, vous apprécierez le résultat – autant que vos convives.

Les ustensiles

Plats et casseroles en fonte

La plupart des recettes abordées dans cet ouvrage passent au four dans des plats en verre trempé, en céramique ou en terre cuite. Les dimensions des plats ne sont données qu'à titre indicatif. Si votre préparation s'accommode d'un contenant que vous avez déjà, mais qui n'a pas exactement la forme ni la taille de celui mentionné dans la recette, n'hésitez pas à vous servir de votre matériel. Vous pouvez aussi utiliser plusieurs plats plus petits ou individuels. Si, en revanche, vous ne possédez aucun plat du type de ceux évoqués dans ces pages, mieux vaut investir dans le format le plus courant (23 × 33 × 5 cm ou 9 × 13 × 2 po), qui convient parfaitement pour les lasagnes et pour bien d'autres recettes. Le temps de cuisson peut varier légèrement selon que vous utilisez un plat plus petit, plus large, plus creux ou plus profond que celui conseillé, ou encore si celui-ci est plus épais que la moyenne. Assurez-vous donc que votre préparation est chaude à cœur avant de la sortir du four. Veillez par exemple à ce que le porc atteigne une température interne d'au moins 145 °F (63 °C) et le poulet de 165 °F (74 °C). Les températures du bœuf et de l'agneau sont moins importantes, pourvu qu'ils soient cuits !
Des plats de trois tailles sont utilisés dans cet ouvrage. Les « petits » ont une contenance de 1 à 1,5 kg (35 à 53 oz) et incluent les moules à tarte et les poêles de 20, 23 et 25 cm (8, 9 et 10 po) de diamètre, les petits moules à cakes et les moules à soufflé de 15 à 18 cm (6 à 7 po) de diamètre. Parmi les plats « moyens », dont la contenance va de 1,8 à 2,3 kg (63 à 81 oz), figurent les poêles et les casseroles de 20 × 20 × 5 cm (8 × 8 × 2 po), 23 × 23 × 5 cm (9 × 9 × 2 po) et 28 × 18 × 4 cm (11 × 7 × 2 po), les moules à cake de 23 × 13 × 8 cm (9 × 7 × 3 po) et les moules à soufflé de 20 cm (8 po) de diamètre. Enfin, les « grands » plats ont une contenance d'au moins 3,5 kg (123,5 oz) et incluent, outre le traditionnel plat rectangulaire de 23 × 33 × 5 cm (9 × 12 × 3 po), des poêles de 20 × 20 × 9 cm (8 × 8 × 4 po) ou 25 × 25 × 10 cm (10 × 10 × 4 po). Les cocottes en fonte doivent être munies d'un couvercle fermant bien et pouvoir être transférées de la plaque de cuisson au four. Il est possible de leur substituer une casserole à fond épais fermant hermétiquement. Si votre cocotte ou votre casserole ne passe pas au four, transvasez votre préparation dans un plat adéquat avant de l'enfourner.

Poêles et casseroles

Vous aurez besoin de poêles et de casseroles de tailles diverses. Les cocottes en fonte ou les casseroles à fond épais sont particulièrement recommandées pour faire mijoter les sauces, mais les casseroles antiadhésives feront aussi bien l'affaire. Vos préparations s'en trouveront facilitées si vous avez le choix entre plusieurs contenants de tailles différentes.

Saladiers, passoires, planches à découper, verres doseurs et cuillères-mesures

La préparation des mijotés fait le plus souvent appel à des saladiers petits ou moyens, pour mélanger les sauces ou réserver certains ingrédients. Une passoire est utile pour égoutter les pâtes ou les légumes cuits. Vous aurez aussi besoin d'au moins deux planches à découper, l'une étant réservée à la viande crue. Les proportions des ingrédients secondaires peuvent être augmentées ou diminuées selon le goût de chacun ; cependant, il vous faut respecter scrupuleusement les quantités des principaux ingrédients, si vous voulez obtenir un résultat digne de vos espérances. Ayez donc à votre disposition le matériel permettant d'effectuer vos mesures avec précision, dont les verres doseurs et des cuillères-mesures.

Autres ustensiles

Parmi les autres ustensiles dont vous aurez besoin, comptez des couteaux de bonne facture, dont un pour couper les légumes, ainsi qu'un économe. Vous aurez l'utilité d'une bonne râpe à fromage et d'un presse-agrumes muni d'une grille, pour séparer les jus de fruits des pépins. Équipez-vous de spatules et autres maryses, pratiques pour racler la sauce et pour servir. Remuez les sauces à l'aide de cuillères en bois ou d'un fouet, un mixeur manuel se révélant utile pour la préparation de sauces lisses. Les mijotés étant présentés aux convives dans le plat de cuisson, prévoyez des dessous de plat qui protégeront efficacement votre table.
Les temps de cuisson doivent être scrupuleusement respectés. Référez-vous à la minuterie de votre four ou achetez un minuteur à affichage numérique, précis et désormais très abordable.

Les ingrédients

Viandes, volailles et poissons

La viande, la volaille et le poisson utilisés dans nos recettes sont disponibles dans la plupart des supermarchés, mais il est préférable, lorsque cela est possible, de vous servir auprès d'un boucher ou d'un poissonnier de quartier, chez qui vous trouverez des ingrédients de qualité, notamment des viandes ou des volailles biologiques, ou encore de beaux poissons sauvages (et non d'élevage), et bénéficierez des conseils de professionnels qui vous indiqueront les meilleurs morceaux pour bien réussir vos recettes. Les bons bouchers savent parfaitement quels morceaux de viande un peu fermes, mais peu onéreux, peuvent être attendris par une cuisson prolongée. Les pièces de viande enfermant un os – le gîte, les côtes et la poitrine de bœuf, l'épaule, le carré et le gigot d'agneau, ou encore le jarret, l'épaule et la poitrine de porc – sont idéales pour des mijotés. Pour les viandes à braiser, privilégiez des steaks ou des côtelettes, ou encore des morceaux pris dans le jarret ou dans le cou du bœuf ; l'épaule d'agneau comme le jarret ou l'épaule de porc sont également conseillés. Les ragoûts seront mieux réussis s'ils sont à base de dés de viande, pris dans l'épaule ou le jarret pour l'agneau ou dans le paleron pour le bœuf. N'hésitez pas enfin à demander à votre boucher ou à votre poissonnier de vous préparer la viande ou le poisson pour vous faciliter la tâche.

Les légumes

La plupart des recettes utilisent des tomates entières en conserve, car les pépins écrasés apportent une touche d'amertume aux sauces. Si vous optez pour les tomates en conserve, vous pouvez éventuellement les additionner d'une pincée de sucre (1 c. à t. pour commencer et davantage, si nécessaire). Si vous préférez cuisiner des tomates fraîches, choisissez-les très parfumées et mûries sur pied et privilégiez les produits les plus frais possible. Et n'oubliez pas que, en vous approvisionnant auprès des producteurs locaux, vous ferez également un geste en faveur de l'environnement.

Les œufs
Sauf précision contraire, utilisez des œufs moyens. Plus parfumés, les œufs bio ou issus de poules élevées en plein air sont aussi plus respectueux de l'environnement.

L'huile
Sauf précision contraire, utilisez de l'huile d'olive extravierge. Pour ce qui est des autres huiles végétales, préférez l'huile de maïs, légère et neutre. L'huile de tournesol, disponible dans la plupart des grandes surfaces et des magasins de diététique, est aussi très appréciée. Certaines recettes font appel à des sprays de cuisson allégés, que vous trouverez au rayon pâtisserie de la plupart des grandes surfaces. Enfin, utilisez toujours du beurre doux, sauf précision contraire.

La farine
Sauf précision contraire, utilisez de la farine blanche tout usage.

Herbes et épices
Les herbes fraîches font les sauces et les garnitures les plus aromatiques, mais elles peuvent parfaitement être remplacées par des herbes séchées. La règle de base consiste à substituer 1 c. à t. d'herbes fraîches ciselées par ¼ de c. à t. d'herbes séchées. Des épices diverses et variées peuvent agrémenter les mijotés, dont le cumin, les graines de coriandre, le curcuma, la cardamome et la noix muscade. Toutes sont disponibles en grande surface, sauf les plus rares, que vous trouverez dans les magasins de diététique ou dans les magasins spécialisés.

Bouillons, fonds et consommés

De nombreuses recettes de mijotés emploient du bouillon de légumes, du consommé de bœuf ou du fond de volaille. Les supermarchés comme les épiceries fines proposent de tels produits dans leur rayon frais, mais on en trouve aussi en boîte, en brique ou sous forme déshydratée, au rayon des soupes dans les grandes surfaces. Les produits biologiques à faible teneur en sel parfumeront davantage vos plats tout en vous permettant de mieux contrôler la quantité de sel que vous souhaitez y ajouter. Les bouillons maison sont faciles à préparer et se conservent très bien ; il est donc recommandé d'en préparer de grandes quantités et d'en congeler de petites portions, que vous aurez ainsi à portée de main. Vous pouvez réaliser un bouillon à partir d'ingrédients frais, mais les bouillons et fonds les plus aromatiques sont à base d'os et de carcasses, ainsi que de restes de poulet, de bœuf et de poisson rôtis.

Bouillon de légumes

2 oignons, grossièrement hachés
2 carottes, coupées en gros tronçons
2 branches de céleri, coupées en gros tronçons
1 feuille de laurier
2 brins de thym frais
4 brins de persil
1 c. à t. de poivre noir, en grains
½ c. à t. de sel
3 l (12 ½ tasses) d'eau

Dans une grande casserole, portez tous les ingrédients à ébullition. Baissez le feu, laissez mijoter 1 h et écumez régulièrement. Passez le bouillon à travers une passoire fine, puis réfrigérez-le ou congelez-le en petites portions, pour emploi ultérieur.

Fond de volaille

1 carcasse de poulet
2 oignons, grossièrement hachés
2 carottes, coupées en gros tronçons
2 branches de céleri, coupées en gros tronçons
2 feuilles de laurier
1 c. à t. de poivre noir, en grains
½ c. à t. de sel
1,3 l (5 ½ tasses) d'eau

Dans une grande casserole, portez tous les ingrédients à ébullition. Baissez le feu, laissez mijoter 1 h 30 et écumez régulièrement. Passez le bouillon à travers une passoire fine, puis, une fois qu'il a refroidi, enlevez avec une écumoire le gras qui a figé en surface. Réfrigérez ou congelez en petites portions, pour emploi ultérieur.

Pour 1 l (4 tasses) environ

Fond de poisson

450 g (1 lb) d'arêtes de poisson, sans les branchies
1 oignon, grossièrement haché
1 poireau, coupé en gros tronçons
2 branches de céleri, coupées en gros tronçons
1 feuille de laurier
4 brins de persil
½ c. à t. de poivre noir, en grains
½ c. à t. de sel
1,2 l (5 tasses) d'eau

Dans une grande casserole, portez tous les ingrédients à ébullition. Baissez le feu, laissez mijoter 30 min et écumez régulièrement. Passez le bouillon à travers une passoire fine, puis réfrigérez-le ou congelez-le en petites portions, pour emploi ultérieur.

Pour 1 l (4 tasses) environ

Consommé de bœuf

900 g (2 lb) d'os de bœuf
1 oignon, grossièrement haché
1 poireau, coupé en gros tronçons
2 carottes, coupées en gros tronçons
1 branche de céleri, coupée en gros tronçons
1 feuille de laurier
2 brins de thym frais
4 brins de persil frais
1 c. à t. de poivre noir, en grains
½ c. à t. de sel
1,3 l (5 ½ tasses) d'eau

Préchauffez le four à 425 °F (220 ° C). Disposez les os dans la lèchefrite et enfournez 40 min. Mettez-les ensuite dans une grande casserole avec les autres ingrédients. Portez à ébullition, puis baissez le feu et laissez mijoter 3 h, tout en écumant régulièrement. Passez le bouillon à travers une passoire fine, puis, une fois qu'il a refroidi, ôtez avec une écumoire le gras qui a figé en surface. Réfrigérez ou congelez en petites portions, pour emploi ultérieur.

Pour 1 l (4 tasses) environ

Garnitures et condiments

Les garnitures rehaussent le parfum, la texture et l'apparence d'un plat, et permettent très facilement de transformer un simple mijoté en un mets de fête. La plupart de nos recettes proposent des garnitures adaptées, mais n'hésitez pas à innover en la matière. Les herbes fraîches – ciboulette, basilic, persil, menthe, sauge et coriandre – font un joli décor, qu'elles soient finement ciselées ou plus grossièrement hachées, et relèvent la saveur d'un plat. De même, un peu de zeste de citron râpé ou des oignons blancs émincés complètent joliment certains mets, tout comme les croûtons ou les graines (de sésame, de tournesol, de citrouille) légèrement grillées. Les condiments, les chutneys, la sauce tomate et les sauces pimentées apporteront une petite touche de piquant à certains mijotés relativement doux, tandis que le yogourt, la crème sure, le tzatziki ou le raita adouciront les currys et autres mets épicés.

Grandes tablées

Rien ne vaut un mijoté pour régaler une grande tablée. Faciles à réaliser, les plats proposés ici peuvent se préparer à l'avance. Il vous suffit de les réchauffer au moment de servir.

Tamal

Pour 4 à 6 personnes

Ce plat traditionnel mexicain peut être cuit à la vapeur, dans l'enveloppe des épis de maïs.

2 c. à s. d'huile d'olive extravierge
700 g (1 ½ lb) de viande de bœuf maigre, hachée
200 g (1 tasse) d'oignons, finement émincés
1 gousse d'ail, finement émincée
125 g (1 tasse) de poivron rouge, coupé en lamelles
25 cl (1 tasse) d'eau
150 g (1 ¼ tasse) de farine de maïs
800 g (3 tasses) de tomates entières en conserve, égouttées (réservez la moitié du jus)
150 g (⅔ tasse) de maïs doux (frais, en conserve ou surgelé)
1 c. à s. de piment en poudre
3 c. à t. de sel
¼ de c. à t. de poivre noir, fraîchement moulu
35 cl (1 ⅓ tasse) de lait entier
25 g (2 c. à s.) de beurre doux
125 g (1 ¼ tasse) de gruyère, râpé
2 œufs, légèrement battus

Préchauffez le four à 375 °F (190 °C).
Dans une grande casserole, faites chauffer l'huile et mettez-y la viande à revenir 7 min. Ajoutez l'oignon, l'ail et le poivron, et laissez cuire 5 min, jusqu'à ce que l'oignon soit translucide.
Dans un petit saladier, mélangez l'eau avec la moitié de la farine de maïs. Ajoutez à la viande, couvrez bien et laissez mijoter 10 min. Ajoutez les tomates coupées en dés et le jus réservé, le maïs, le piment, 2 c. à t. de sel et le poivre. Faites cuire 5 min à petit feu, puis transvasez dans un grand plat allant au four.
Dans une casserole moyenne, faites tiédir le lait avec le reste du sel et le beurre. Incorporez le reste de farine, en remuant sans cesse. Laissez cuire à feu moyen, jusqu'à épaississement. Retirez du feu, ajoutez le fromage râpé et les œufs et versez sur la viande. Enfournez 35 à 40 min, jusqu'à ce que le dessus soit doré. La viande peut être préparée 48 h à l'avance et conservée au frais, mais mieux vaut consommer la garniture le jour même.

Voir variantes p. 36

Poulet Tetrazzini

Pour 4 à 6 personnes

Ce plat a été inspiré par la grande cantatrice italienne Luisa Tetrazzini.

200 g (1 ½ tasse) de spaghettis
75 g (⅓ tasse) de beurre doux
1 carotte, émincée
1 branche de céleri, émincée
75 g (½ tasse) de farine
Sel et poivre noir fraîchement moulu, au goût
45 cl (1 ¾ tasse) de bouillon de poulet
45 cl (1 ¾ tasse) de lait entier
450 g (3 tasses) de poulet cuit, en petits morceaux
125 g (1 ¼ tasse) de gruyère, râpé

Préchauffez le four à 345 °F (175 °C).
Faites cuire les spaghettis en suivant les instructions du fabricant. Égouttez-les, ajoutez-y une noix de beurre et mélangez bien. Réservez.
Dans une petite casserole, faites bouillir la carotte et le céleri émincés 5 min environ dans un peu d'eau. Égouttez et réservez.
Dans une grande casserole, faites fondre à feu doux le reste du beurre. Ajoutez-y la farine, le sel et le poivre, en remuant constamment jusqu'à obtention d'un mélange lisse. Continuez de remuer 1 min environ, puis retirez du feu.
Ajoutez ensuite le bouillon et le lait, en fouettant bien, puis replacez la casserole sur le feu. Portez à ébullition, sans cesser de remuer, jusqu'à épaississement. Retirez du feu 1 à 2 min après le premier bouillon. Ajoutez encore le poulet, les pâtes, les carottes et le céleri.
Versez la préparation dans un grand plat allant au four, parsemez de fromage râpé avant d'enfourner 25 à 30 min.

Voir variantes p. 37

Millefeuille de tortillas

Pour 4 à 6 personnes

Ce plat très parfumé d'inspiration mexicaine – associant tortillas de blé, purée de haricots rouges, viande aux épices, sauce et fromage fondu – ravira à coup sûr vos convives.

450 g (1 lb) de viande de bœuf maigre, hachée
1 boîte (225 g ou 8 oz) de sauce tomate à la mexicaine
1 c. à t. de cumin en poudre
1 boîte de purée de haricots rouges (525 g ou 18 oz)
4 tortillas de farine de blé de 23 cm (9 po) de diamètre
200 g (1 3/4 tasse) de gruyère, râpé
Crème sure, en accompagnement
Petits oignons blancs, finement émincés, en accompagnement

Préchauffez le four à 345 °F (175 °C).
Dans une grande poêle, faites revenir la viande hachée. Égouttez. Ajoutez-y la sauce et le cumin en poudre.
Dans une casserole, faites chauffer à feu doux la purée de haricots rouges, jusqu'à obtention d'une consistance lisse.
Disposez une tortilla dans un plat à tarte de 23 cm (9 po) de diamètre. Recouvrez-la de la moitié de la préparation à la viande et saupoudrez de 50 g (1/2 tasse) de fromage râpé. Recouvrez d'une deuxième tortilla, que vous garnirez de purée de haricots rouges. Saupoudrez à nouveau de 50 g (1/2 tasse) de fromage râpé. Répétez les opérations pour les deux tortillas restantes.
Enfournez 20 min environ, jusqu'à ce que le fromage soit fondu et l'ensemble bien chaud. Servez en tranches, accompagné de la crème sure et des oignons blancs émincés.

Voir variantes p. 38

Dauphinois au jambon cru

Pour 6 personnes

Le jambon cru apporte une saveur particulière à ce gratin délicieusement fondant.

40 g (3 c. à s.) de beurre doux
50 g (1/3 tasse) d'oignons, finement émincés
25 g (1/4 tasse) de farine tout usage
Sel et poivre noir fraîchement moulu, au goût
60 cl (2 1/2 tasses) de lait entier
225 g (8 oz) de jambon cru, en chiffonnade
900 g (2 lb) de pommes de terre rouges, pelées et finement tranchées

Préchauffez le four à 345 °F (175 °C).
Beurrez généreusement un plat allant au four de 23 × 33 cm (9 × 13 po). Réservez.
Dans une casserole, faites fondre à feu doux 3 c. à s. de beurre et mettez-y les oignons émincés à revenir 5 min environ, jusqu'à ce qu'ils deviennent translucides. Ajoutez la farine, le sel et le poivre, en remuant constamment jusqu'à obtention d'un mélange lisse. Continuez de remuer 1 min environ, puis retirez du feu.
Ajoutez ensuite le lait, en fouettant bien, puis replacez la casserole sur le feu. Portez le tout à ébullition, sans cesser de remuer, jusqu'à épaississement. Retirez du feu 1 à 2 min après le premier bouillon. Incorporez le jambon, grossièrement déchiré.
Disposez les pommes de terre émincées dans le plat allant au four. Versez la sauce par-dessus, en prenant soin de les recouvrir uniformément.
Couvrez le plat d'une grande feuille de papier d'aluminium, puis enfournez 30 min environ. Découvrez le plat et poursuivez la cuisson 60 à 70 min, jusqu'à ce que les pommes de terre soient fondantes et bien dorées sur les bords. Réservez quelques instants avant de servir.

Voir variantes p. 39

Curry de poulet et pommes de terre

Pour 4 à 6 personnes

Ce curry mêle subtilement les saveurs du citron, du gingembre et de la coriandre.

25 g (1/2 tasse) de gingembre frais, râpé
4 c. à s. d'eau
1,1 kg (2 1/2 lb) de blanc de poulet, en gros dés
6 c. à s. d'huile de maïs
3 gousses d'ail, finement émincées
1 bouquet de coriandre fraîche, finement ciselée
1/4 de c. à t. de piment de Cayenne
2 c. à t. de cumin en poudre
1 c. à t. de coriandre en poudre
1/2 c. à t. de curcuma en poudre
1 c. à t. de sel
2 c. à s. de jus de citron frais
20 cl (7/8 tasse) d'eau
3 pommes de terre, pelées et coupées en dés

Dans un petit saladier, mélangez le gingembre râpé et l'eau, pour former une pâte. Réservez.
Dans une grande poêle ou une cocotte en fonte, faites chauffer l'huile de maïs et mettez-y le poulet à revenir. Retirez du feu et réservez, en laissant la viande dans son jus de cuisson.
Dans une autre casserole, faites blondir l'ail émincé à feu doux. Ajoutez-y la pâte de gingembre et poursuivez la cuisson 1 min environ. Ajoutez ensuite la coriandre ciselée, le mélange d'épices et le sel. Faites braiser le tout 1 min de plus.
Versez le poulet et son jus de cuisson dans la casserole contenant le mélange d'épices. Ajoutez le jus de citron, l'eau et les dés de pomme de terre, et remuez. Portez à ébullition, puis baissez le feu, couvrez bien et laissez mijoter 15 min environ, en remuant de temps à autre pour faciliter la cuisson homogène de la pomme de terre. Poursuivez la cuisson 5 min environ si celle-ci n'est pas suffisamment moelleuse. Servez sans attendre.
Si vous préparez ce plat à l'avance, omettez la pomme de terre. Une demi-heure avant le service, faites réchauffer le curry. Au premier bouillon, incorporez les dés de pommes de terre, puis laissez mijoter en suivant les instructions ci-dessus.

Voir variantes p. 40

Gratin de macaronis

Pour 4 à 6 personnes

Un grand classique familial, qui peut être décliné de mille et une manières.

450 g (4 tasses) de macaronis crus
50 g (1/3 tasse) d'oignons, finement émincés
50 g (1/4 tasse) de beurre doux
50 g (3/8 tasse) de farine tout usage
1/2 c. à t. de sel
1/4 de c. à t. de poivre noir, fraîchement moulu
1/4 de c. à t. de sauce Worcestershire
45 cl (1 3/4 tasse) de lait entier
225 g (2 1/4 tasses) de gruyère, râpé
6 rondelles de tomate fraîche
50 g (1/2 tasse) de chapelure

Préchauffez le four à 345 °F (175 °C).
Dans une casserole, faites cuire les macaronis 9 min environ dans un grand volume d'eau bouillante salée. Les pâtes doivent rester *al dente*, car elles cuiront encore au four.
Pendant ce temps, commencez à préparer la sauce au fromage. Dans une casserole, faites fondre à feu doux le beurre et mettez-y les oignons émincés à revenir 5 min environ, jusqu'à ce qu'ils soient translucides. Ajoutez-y la farine, le sel, le poivre et la sauce Worcestershire, en remuant constamment jusqu'à obtention d'un mélange lisse. Continuez de remuer 1 min environ, puis retirez du feu.
Ajoutez le lait, en fouettant, puis replacez la casserole sur le feu. Portez le tout à ébullition, sans cesser de remuer, jusqu'à épaississement. Ajoutez le fromage râpé, puis retirez du feu.
Mélangez les pâtes égouttées à la préparation au fromage, en remuant de façon qu'elles soient bien enrobées de sauce. Versez le tout dans un plat allant au four. Disposez par-dessus les rondelles de tomate et saupoudrez de chapelure. Enfournez 25 min environ, jusqu'à ce que la chapelure soit dorée et le gratin de macaronis chaud à cœur.

Voir variantes p. 41

Courgettes farcies

Pour 4 personnes

Les courgettes prennent une saveur toute particulière grâce à cette garniture bien relevée.

4 courgettes de taille moyenne, coupées en deux dans le sens de la longueur
100 g (2/3 tasse) d'oignons, finement émincés
25 g (2 c. à s.) de beurre doux
50 g (3/4 tasse) de persil plat, finement ciselé
700 g (1 1/2 lb) de jambon cuit, coupé en dés
3 c. à s. de crème sure
1 c. à s. de moutarde de Dijon
Sel et poivre noir fraîchement moulu, au goût
350 g (7 tasses) de gruyère, râpé

Préchauffez le four à 375 °F (190 °C).
Beurrez généreusement un grand plat allant au four.
À l'aide d'une cuillère, évidez les courgettes et jetez-en la pulpe.
Dans une petite poêle, faites fondre à feu doux le beurre et mettez-y l'oignon à revenir, 5 min environ, jusqu'à ce qu'il devienne translucide. Réservez.
Dans un saladier de taille moyenne, mélangez bien tous les autres ingrédients, puis ajoutez l'oignon. Répartissez cette préparation dans les 8 demi-courgettes évidées.
Disposez les courgettes farcies dans le plat. Parsemez de gruyère, puis enfournez 25 min.
Vous pouvez parfaire la cuisson en passant le plat sous le gril 3 min avant de servir.

Voir variantes p. 42

Mijoté de bœuf aux patates douces

Pour 6 personnes

Ce délicieux mijoté embaumera à coup sûr toute la maison.

1 sachet de soupe à l'oignon déshydratée
35 cl (1 1/3 tasse) d'eau + 3 c. à s. pour la sauce
5 cl (1/4 tasse) de sauce soja
2 c. à s. de sucre roux
1 c. à t. de gingembre frais, râpé
1,5 kg (3 lb) de viande de bœuf, désossée (paleron, poitrine, romsteck ou tende de tranche)
4 patates douces, pelées et coupées en morceaux de 5 cm (2 po) de long environ
2 c. à s. de farine tout usage

Préchauffez le four à 300 °F (160 °C).
Dans une cocotte en fonte – ou toute autre casserole lourde, munie d'un couvercle et allant au four –, mélangez la soupe déshydratée, les 35 cl (1 1/3 tasse) d'eau, la sauce soja, le sucre roux et le gingembre. Déposez-y la pièce de bœuf, couvrez bien et enfournez 1 h 45 environ.
Ajoutez ensuite les dés de patate douce, puis remettez au four encore 45 min ; la viande et les légumes doivent être bien cuits et fondants. Disposez la viande et les patates dans un plat de service. Conservez le jus de cuisson dans la marmite.
Dans un verre doseur, mélangez la farine avec l'eau restante. Versez dans le jus de cuisson. Remuez bien. Portez le tout à ébullition, sans cesser de remuer, jusqu'à épaississement. Retirez du feu 2 min après le premier bouillon. Nappez la viande et les patates douces de cette sauce.

Voir variantes p. 43

Variantes

Tamal

Recette de base p. 21

Tamal aux haricots noirs
Suivez la recette de base, en ajoutant à la préparation à la viande hachée 1 boîte de haricots noirs en conserve, bien égouttés.

Tamal aux olives
Suivez la recette de base, en ajoutant à la préparation à la viande hachée 100 g (3 ½ oz) d'olives farcies au poivron rouge, finement émincées.

Tamal épicé
Suivez la recette de base, en y ajoutant 1 gros jalapeño (piment mexicain), épépiné et finement émincé. Utilisez plus de piment en poudre (2 c. à s.) et ajoutez 1 c. à t. de cumin en poudre, ainsi que ¼ de c. à t. de quatre-épices en poudre.

Tamal à la coriandre
Suivez la recette de base, en ajoutant à la préparation à la viande hachée 75 g (1 tasse) de coriandre fraîche, finement ciselée.

Poulet Tetrazzini

Recette de base p. 22

Thon Tetrazzini aux champignons et aux olives
Suivez la recette de base, en remplaçant le poulet par 450 g (14 oz) de thon au naturel, bien égoutté et émietté, et la carotte et le céleri par 225 g (8 oz) d'olives émincées et 225 g (3 tasses) de champignons émincés et sautés.

Poulet Tetrazzini à l'orzo
Suivez la recette de base, en remplaçant les spaghettis par une quantité équivalente d'orzo cuit (pâtes en forme de grains de riz).

Poulet Tetrazzini aux amandes
Suivez la recette de base, en ajoutant à la sauce 100 g (1 tasse) d'amandes effilées.

Poulet Tetrazzini minute
Suivez la recette de base, sans le beurre, le sel, le poivre ni le bouillon. Dans un grand plat allant au four, mélangez 1 boîte de crème de champignons, 1 boîte de crème de poulet, 20 cl (7/8 tasse) de lait et 2 c. à s. de vin blanc. Ajoutez les spaghettis, le poulet et les légumes, puis suivez les instructions de la recette.

Dinde Tetrazzini
Suivez la recette de base, en remplaçant le poulet par la même quantité de dinde cuite.

Variantes

Millefeuille de tortillas

Recette de base p. 25

Millefeuille de tortillas façon tacos
Suivez la recette de base, en remplaçant le cumin par un sachet d'assaisonnement pour tacos.

Millefeuille de tortillas à la mozzarella
Suivez la recette de base, en remplaçant le fromage râpé par la même quantité de mozzarella en tranches.

Millefeuille de tortillas végétarien
Suivez la recette de base, en remplaçant la viande de bœuf hachée par 450 g (2 tasses) de riz blanc cuit.

Millefeuille de tortillas à la coriandre
Suivez la recette de base, en remplaçant les oignons blancs par un peu de coriandre finement ciselée.

Millefeuille de tortillas au chorizo
Suivez la recette de base, en remplaçant la viande de bœuf hachée par 450 g (1 lb) de chorizo moyennement fort, débarrassé de sa peau.

Variantes

Dauphinois au jambon cru

Recette de base p. 26

Dauphinois végétarien
Suivez la recette de base, sans le jambon cru.

Dauphinois au jambon cuit
Suivez la recette de base, en remplaçant le jambon cru par une quantité équivalente de jambon cuit.

Dauphinois à la pancetta
Suivez la recette de base, en remplaçant le jambon cru par une quantité équivalente de pancetta finement émincée.

Dauphinois aux champignons
Suivez la recette de base, en ajoutant 100 g (1 ⅓ tasse) de petits champignons aux pommes de terre émincées.

Dauphinois allégé
Suivez la recette de base, en remplaçant le beurre par de la margarine et le lait entier par du lait écrémé.

Variantes

Curry de poulet et pommes de terre

Recette de base p. 29

Curry de poulet et pommes de terre aux petits pois
Suivez la recette de base, en ajoutant à la préparation 100 g (5/8 tasse) de petits pois (frais ou surgelés) 5 min avant la fin de la cuisson.

Curry de poulet et pommes de terre aux carottes
Suivez la recette de base, en ajoutant à la préparation 225 g (1 1/4 tasse) de carottes pelées et coupées en dés, en même temps que les pommes de terre.

Curry de poulet et pommes de terre au chutney de mangue
Suivez la recette de base et accompagnez le plat d'un peu de chutney de mangue.

Curry de dinde et pommes de terre
Suivez la recette de base, en remplaçant le poulet par la même quantité de blanc de dinde, sans la peau.

Curry de tofu et pommes de terre
Suivez la recette de base, en remplaçant le poulet par 900 g (2 lb) de tofu bien ferme, coupé en dés.

Variantes

Gratin de macaronis

Recette de base p. 30

Gratin de macaronis pour les enfants
Suivez la recette de base, sans les oignons, la tomate ni la chapelure. Utilisez un fromage relativement doux (type gouda).

Gratin de macaronis à la courge musquée
Suivez la recette de base, sans les oignons, la tomate ni la chapelure. Dans un four à 375 °F (190 °C), enfournez 35 à 40 min ½ courge musquée, posée côté chair sur une plaque huilée. Réduisez-la en purée. Mélangez-en 100 g (⅔ tasse) avec le fromage râpé. Ajoutez aux pâtes et faites cuire selon les indications de la recette.

Gratin de rigatoni au chou-fleur
Suivez la recette de base, sans la tomate ni la chapelure. Remplacez les macaronis par des rigatonis, avec 225 g (2 tasses) de chou-fleur cuit (en bouquets séparés).

Gratin de macaronis au chili con carne
Suivez la recette de base, sans les oignons, la tomate ni la chapelure. Ajoutez du chili con carne aux pâtes. Garnissez de tranches de mozzarella avant d'enfourner.

Gratin de macaronis pour les grands
Suivez la recette de base, sans tomate ni chapelure. Dans une grande poêle, faites fondre 40 g (3 c. à s.) de beurre et mettez-y 500 g (3 tasses) d'échalotes à revenir. Salez et poivrez. Couvrez et laissez caraméliser. Étalez sur les pâtes. Parsemez de 175 g (6 oz) de chèvre émietté. Faites cuire selon les indications de la recette.

Variantes

Courgettes farcies

Recette de base p. 32

Courgettes jaunes farcies
Suivez la recette de base, en remplaçant les courgettes par la même quantité de courgettes jaunes.

Courgettes farcies végétariennes
Réservez la chair des courgettes. Dans une grande poêle, faites fondre à feu doux 25 g (2 c. à s.) de beurre et mettez-y à revenir, 5 min, 1 gros oignon et 1 gousse d'ail émincés, 75 g (1 tasse) de champignons émincés et la chair des courgettes. Assaisonnez de ½ c. à t. de basilic, de ¼ de c. à t. de thym, de sel et de poivre noir fraîchement moulu. Dans un saladier de taille moyenne, battez 3 œufs, 350 g (12 oz) de fromage blanc, 75 g (12 oz) de germe de blé et 3 c. à s. de sauce tamari. Ajoutez 225 g (8 oz) de fromage et 225 g (1 tasse) de riz complet cuit. Mélangez le tout avec les légumes sautés et garnissez-en les courgettes évidées. Parsemez de fromage. Faites cuire selon les indications de la recette.

Courgettes farcies au crabe
Suivez la recette de base, en remplaçant le jambon par 225 g (1 tasse) de crabe en conserve, égoutté et émietté, et le gruyère par autant de mozzarella.

Courgettes farcies au poulet
Suivez la recette de base, en remplaçant le jambon par la même quantité de poulet cuit et coupé en dés.

Variantes

Mijoté de bœuf aux patates douces

Recette de base p. 35

Mijoté de bœuf aux patates douces et aux petits pois
Suivez la recette de base, en ajoutant à la préparation 450 g (3 ⅓ tasses) de haricots verts frais équeutés, en même temps que les patates douces.

Mijoté de bœuf aux patates douces, aux carottes et aux panais
Suivez la recette de base, en ajoutant à la préparation 3 carottes et 3 panais (pelés et coupés en dés), en même temps que les patates douces.

Mijoté de bœuf aux pommes de terre rouges
Suivez la recette de base, en remplaçant les patates douces par 6 grosses pommes de terre rouges, pelées et coupées en gros dés.

Mijoté de bœuf aux patates douces et à la courge musquée
Suivez la recette de base, en ajoutant à la préparation 450 g (2 ¾ tasses) de courge musquée, pelée et coupée en gros dés, en même temps que la patate douce.

Pâtes et riz

Les pâtes et le riz constituent, par excellence, la base des plats familiaux traditionnels, riches et copieux à souhait. Vous trouverez dans ce chapitre des recettes de plats uniques roboratifs aussi bien que d'accompagnements ou encore de préparations idéales pour les réceptions décontractées.

Riz rouge au bœuf et au bacon

Pour 4 à 6 personnes

Ce plat facile à réaliser et apprécié de tous, petits et grands, doit sa belle couleur aux tomates et aux poivrons rouges.

4 tranches de bacon
225 g (1 1/3 tasse) d'oignons, finement émincés
1 gousse d'ail, finement émincée
100 g (4 tasses) de poivrons rouges, coupés en lamelles
450 g (1 lb) de viande de bœuf maigre, hachée
225 g (1 1/8 tasse) de riz basmati cru
500 g (2 tasses) de tomates entières en conserve
1 c. à t. de sel
Poivre noir fraîchement moulu, au goût
100 g (3/4 tasse) de gruyère, râpé

Préchauffez le four à 345 °F (175 °C).
Dans une poêle, faites rissoler les tranches de bacon, jusqu'à ce qu'elles soient croustillantes. Émiettez-les dans un plat allant au four (23 × 18 cm ou 9 × 7 po). Frottez le fond et les parois du plat avec ces petits morceaux, afin de le graisser.
Dans la même poêle, faites rissoler les oignons, l'ail et les poivrons 5 min environ, jusqu'à ce que l'oignon soit translucide. Ajoutez la viande hachée et le riz, et faites braiser à feu moyen ; la viande doit être bien dorée. Ajoutez ensuite les tomates légèrement concassées (ainsi que leur jus), puis salez et poivrez. Remuez bien.
Versez la préparation dans le plat. Parsemez le tout de fromage râpé. Couvrez de papier d'aluminium, puis enfournez 45 min. Découvrez le plat et poursuivez la cuisson 15 min environ, jusqu'à ce que le riz soit bien tendre.

Voir variantes p. 64

Rigatoni au chorizo

Pour 6 à 8 personnes

Voici une préparation généreuse, qui régalera à coup sûr une grande tablée. Elle offre de plus l'avantage de pouvoir être congelée.

700 g (1 1/2 tasse) de chorizo moyennement fort
1 oignon jaune moyen, finement émincé
3 gousses d'ail, finement émincées
1 c. à t. de basilic séché
1/2 c. à t. d'origan séché
1/4 de c. à t. de thym séché
Sel et poivre fraîchement moulu, au goût
100 g (3/4 tasse) de purée de tomates
1,6 kg (6 1/3 tasses) de tomates entières en conserve
450 g (4 tasses) de rigatoni
225 g (2 tasses) de provolone, râpé
25 g (1/3 tasse) de persil plat, finement ciselé

Pelez le chorizo et émiettez-le légèrement. Dans une grande poêle à fond épais ou une cocotte en fonte, faites rissoler la viande à feu moyen. Réservez-la, ainsi que 2 c. à s. de gras. Dans une autre poêle, faites revenir 5 min l'oignon et l'ail avec les aromates, le sel et le poivre. Ajoutez la purée de tomates et poursuivez la cuisson 3 min. Incorporez alors les tomates légèrement concassées avec leur jus et portez le tout à ébullition. Versez-y le chorizo, puis réduisez le feu et laissez mijoter à découvert 45 min, jusqu'à épaississement de la sauce. Préchauffez le four à 375 °F (190 °C).
Dans une grande casserole, faites cuire les pâtes 6 min dans un grand volume d'eau salée ; elles doivent rester *al dente*. Égouttez-les bien et mélangez-les à la préparation précédente. Ajoutez 75 g (3/4 tasse) de provolone râpé, ainsi que le persil plat, et mélangez bien. Transvasez les pâtes dans un plat allant au four (23 × 33 cm ou 9 × 13 po) et saupoudrez-les du reste de râpé. Couvrez de papier d'aluminium et enfournez 30 min. Découvrez ensuite le plat et poursuivez la cuisson 10 min environ, jusqu'à ce que le dessus soit bien gratiné.

Voir variantes p. 65

Manicotti aux épinards et aux trois fromages

Pour 6 à 8 personnes

Ce plat traditionnel peut être décliné dans plusieurs versions. Celle-ci comprend une savoureuse garniture aux épinards et au fromage, agrémentée de sauce tomate.

5 cl (¾ tasse) d'huile d'olive extravierge
2 gousses d'ail, finement émincées
800 g (3 tasses) de tomates entières en conserve
¼ de c. à t. de sel
8 à 10 feuilles de basilic frais, ciselées
225 g (8 oz) de fromage blanc à la faisselle
175 g (1 ½ tasse) de parmesan, râpé + 3 c. à s.
1 pincée de noix muscade, fraîchement râpée
¼ de c. à t. de poivre noir fraîchement moulu
14 manicotti
550 g (9 tasses) d'épinards surgelés
225 g (8 oz) de ricotta

Dans une grande poêle, faites chauffer à feu moyen l'huile d'olive et mettez-y l'ail à blondir 4 min. Incorporez les tomates égouttées et concassées, puis salez. Laissez mijoter 15 à 20 min, en remuant régulièrement, jusqu'à épaississement. Ajoutez le basilic et réservez.
Préchauffez le four à 345 °F (175 °C).
Dans un tamis assez fin, pressez légèrement les feuilles d'épinards grossièrement hachées pour les débarrasser de leur eau. Mélangez-les bien avec la ricotta, la faisselle, 175 g (1 ½ tasse) de parmesan, la noix muscade et le poivre. Tapissez le fond d'un plat allant au four (23 × 33 cm ou 9 × 13 po) de 225 g (1 tasse) de sauce à la tomate, sur laquelle vous répartirez les manicotti garnis du mélange aux épinards. Recouvrez du reste de sauce tomate et du reste de parmesan. Couvrez le plat de papier d'aluminium et enfournez 1 h 30. Découvrez le plat 20 min avant la fin de la cuisson, afin que le dessus prenne une belle teinte dorée.

Voir variantes p. 66

Arroz con pollo

Pour 4 à 6 personnes

Le riz au poulet, plat traditionnel espagnol et latino-américain, connaît de nombreuses variantes qui toutes, cependant, incluent le fameux *sofrito* – une sauce inoubliable !

45 cl (1 3/4 tasse) d'eau tiède
1 belle pincée de brins de safran
4 c. à t. de paprika espagnol
700 g (3 1/2 tasses) de riz arborio cru
2 c. à s. d'huile d'olive extravierge
225 g (1 1/3 tasse) d'oignons, finement émincés
3 gousses d'ail, finement émincées
100 g (4 tasses) de poivrons rouges, coupés en lamelles
2 tranches de bacon, coupées en dés
2 c. à t. de cumin en poudre
Sel et poivre noir fraîchement moulu, au goût
200 g (3/4 tasse) de sauce tomate nature
450 g (1 lb) de blanc de poulet, sans la peau, coupé en petits dés
35 cl (1 1/3 tasse) de bière blonde *pale ale*
1 l (4 tasses) de bouillon de poulet
1 c. à t. de jus de citron vert, frais

Dans un verre doseur, mélangez l'eau, le safran et 1 c. à t. de paprika. Dans un saladier de taille moyenne, versez le riz, puis arrosez-le de cette eau. Mélangez bien et réservez.
Pour le *sofrito* : dans une grande marmite en fonte ou une grande poêle à fond épais, faites chauffer à feu vif l'huile d'olive et mettez-y l'oignon, l'ail, le poivron et le bacon à rissoler, 5 min en remuant. Ajoutez le cumin et le reste du paprika. Salez à votre convenance et poursuivez la cuisson 5 min environ. Ajoutez la sauce tomate, puis le poulet, en mélangeant bien. Baissez le feu et laissez mijoter 15 à 20 min, en remuant de temps à autre.
Ajoutez la bière et le bouillon, puis portez le tout à ébullition. Incorporez le riz. Donnez un bouillon, couvrez et laissez mijoter à très petit feu 20 min, en remuant régulièrement. Retirez du feu, ajoutez le jus de citron, salez et poivrez. Réservez à découvert 10 min avant de servir.

Voir variantes p. 67

Penne à la ricotta et au pesto

Pour 4 à 6 personnes

Voici un plat délicieux et très pratique, qui peut être préparé à l'avance. Il vous suffira de l'enfourner quelque temps avant de passer à table.

450 g (4 tasses) de penne
1 c. à s. d'huile d'olive extravierge
225 g (1 1/3 tasse) d'oignons jaunes, émincés
2 gousses d'ail, émincées
800 g (3 tasses) de tomates entières en conserve
1 c. à t. d'origan séché
Sel et poivre noir fraîchement moulu, au goût
225 g (8 oz) de ricotta
50 g (3 c. à s.) de pesto du commerce
225 g (2 tasses) de mozzarella, râpée

Préchauffez le four à 345 °F (175 °C).
Dans une casserole, faites cuire les penne 7 min environ dans un grand volume d'eau bouillante salée. Les pâtes doivent rester *al dente*, car elles cuiront encore au four.
Dans une grande poêle, faites chauffer à feu moyen l'huile d'olive et mettez-y l'ail et les oignons émincés à revenir 5 min environ. Ajoutez les tomates, avec leur jus, l'origan, le sel et le poivre. Remuez à l'aide d'une cuillère en bois, tout en écrasant légèrement les tomates. Laissez mijoter le tout 10 min environ.
Dans un petit saladier, mélangez la ricotta et le pesto.
Mélangez les penne égouttées à la sauce tomate et ajoutez 175 g (1 1/2 tasse) de mozzarella. Transvasez-en la moitié dans un grand plat allant au four ou dans des ramequins individuels. Recouvrez de la préparation à la ricotta. Répartissez le reste des pâtes sur la sauce et parsemez du reste de mozzarella. Enfournez 20 à 25 min ; le dessus doit être bien gratiné.
Si vous souhaitez que la préparation à la ricotta garnisse le dessus du plat : transvasez toutes les pâtes dans le plat allant au four, puis nappez-les du mélange ricotta-pesto. Parsemez du reste de mozzarella, puis enfournez 20 à 25 min, jusqu'à ce que le dessus soit bien gratiné.

Voir variantes p. 68

Riz basmati aux oignons et à l'emmenthal

Pour 4 à 6 personnes

Cette riche et savoureuse préparation à base de riz accompagne parfaitement un poulet rôti ou un poisson au four.

100 g (1/2 tasse) de riz basmati
3 ou 4 oignons jaunes, coupés en rondelles
10 cl (1/2 tasse) de bouillon de poulet
350 g (3 1/2 tasses) d'emmenthal, râpé
5 cl (1/4 tasse) de lait entier
Sel et poivre noir fraîchement moulu, au goût
25 g (1/3 tasse) de persil plat, finement ciselé

Préchauffez le four à 345 °F (175 °C).
Beurrez légèrement un grand plat allant au four.
Dans une grande casserole, faites bouillir le riz dans 1 l (4 tasses) d'eau salée, 5 min environ.
Mélangez le riz bien égoutté et tous les autres ingrédients, excepté le persil. Transvasez la préparation dans le plat. Couvrez de papier d'aluminium et enfournez 1 h ; le riz et les oignons doivent être tendres.
Découvrez le plat 10 min environ avant la fin de la cuisson, pour faire gratiner le dessus.
Parsemez de persil juste avant de servir.

Voir variantes p. 69

Lasagnes à la bolognaise

Pour 6 à 8 personnes

Un grand classique, qui peut être préparé jusqu'à 24 h avant cuisson et conservé au frais.

450 g (1 lb) de viande de bœuf maigre, hachée
100 g (2/3 tasse) d'oignons, finement émincés
1 gousse d'ail, finement émincée
400 g (1 1/2 tasse) de sauce tomate en conserve
450 g (1 3/4 tasse) de tomates entières en conserve
4 c. à s. de persil frisé, finement ciselé
5 feuilles de basilic frais, grossièrement ciselé
Sel et poivre, au goût
450 g (16 oz) de ricotta
125 g (1 1/4 tasse) de parmesan, râpé
1 c. à s. d'origan frais, finement ciselé
1 pincée de noix muscade en poudre
12 feuilles de lasagnes
450 g (4 1/2 tasses) de mozzarella, râpée

Dans une grande poêle à fond épais, faites rissoler à feu moyen le bœuf, l'oignon et l'ail, en remuant, jusqu'à ce que la viande soit bien dorée. Égouttez la préparation.
Ajoutez la sauce tomate, puis les tomates entières, légèrement concassées avec une cuillère en bois, et leur jus. Portez le tout à ébullition, puis réduisez le feu et laissez mijoter 45 min environ, jusqu'à épaississement. Ajoutez 2 c. à s. de persil et de basilic. Salez et poivrez.
Dans un saladier, mélangez la ricotta, 75 g (3/4 tasse) de parmesan, le persil restant, l'origan et la muscade.
Préchauffez le four à 345 °F (175 °C).
Dans une casserole, faites cuire les feuilles de lasagnes (2 ou 3 à la fois), 9 min environ, dans un grand volume d'eau bouillante. Égouttez-les bien. Garnissez le fond d'un plat allant au four (23 × 33 cm ou 9 × 13 po) de 100 g (1/2 tasse) de sauce à la viande. Couvrez de 4 feuilles de lasagnes et nappez d'un peu de sauce. Répartissez dessus le mélange à la ricotta et parsemez de 175 g (1 3/4 tasse) de mozzarella. Répétez l'opération, puis terminez en superposant feuilles de lasagnes, sauce à la viande, mozzarella et parmesan. Recouvrez de papier d'aluminium et enfournez 30 min. Découvrez et laissez cuire 15 min environ. Sortez du four. Réservez 10 min avant de servir.
Voir variantes p. 70

Kedgeree

Pour 4 personnes

Il existe plusieurs variantes de ce plat anglo-indien, mais la plupart sont à base de riz, de poisson et d'œufs mollets ou durs.

700 g (1 ½ tasse) de filets de haddock
100 g (½ tasse) de beurre doux
1 oignon jaune moyen, émincé
¾ de c. à t. de poudre de curry
225 g (1 ⅛ tasse) de riz basmati
3 œufs moyens, mollets, coupés en morceaux
3 c. à s. de coriandre fraîche, finement ciselée
1 c. à s. de jus de citron vert, frais
Sel et poivre noir fraîchement moulu, au goût

Dans une grande casserole, disposez les filets de haddock et recouvrez-les de 45 cl (1 ¾ tasse) d'eau. Portez le tout à ébullition, puis réduisez le feu et laissez mijoter 8 min. Déposez le haddock bien égoutté dans un plat et recouvrez-le de papier d'aluminium. Réservez l'eau de cuisson.

Dans la même casserole, faites fondre à feu doux 50 g (¼ tasse) de beurre et mettez-y l'oignon à rissoler, jusqu'à ce qu'il devienne translucide. Ajoutez la poudre de curry, puis le riz et l'eau de cuisson du poisson. Mélangez bien, couvrez et laissez mijoter 15 min, jusqu'à ce que le riz soit tendre.

Pendant ce temps, débarrassez le poisson de sa peau et émiettez-le à l'aide d'une fourchette. Lorsque le riz est cuit, ajoutez-y le haddock émietté, les œufs coupés en morceaux, la coriandre ciselée, le jus de citron vert et le reste de beurre. Couvrez la casserole à moitié et remettez-la sur feu doux quelques instants (si vous utilisez une plaque électrique, laissez simplement la casserole sur la plaque éteinte, mais encore chaude, 5 min environ).

Retirez du feu, égrenez à la fourchette, puis salez et poivrez à votre convenance.

Voir variantes p. 71

Cannellonis

Pour 4 à 6 personnes

Ce plat traditionnel italien s'accommode de garnitures diverses et variées. Il s'agit ici de la version classique, mais n'hésitez pas à découvrir les variantes aux fruits de mer.

450 g (1 lb) de viande de bœuf maigre, hachée
1 gousse d'ail, finement hachée
225 g (8 oz) de ricotta
225 g (2 tasses) de parmesan frais, râpé
1 œuf
3 c. à s. de basilic frais, finement ciselé
1 pincée de noix muscade, fraîchement moulue
Sel et poivre noir fraîchement moulu, au goût
12 cannellonis
35 g (2 ½ c. à s.) de beurre doux
40 g (⅓ tasse) de farine tout usage
45 cl (1 ¾ tasse) de lait entier

Préchauffez le four à 345 °F (175 °C).
Dans une grande poêle à fond épais, faites rissoler le bœuf haché et l'ail, 7 min environ, en remuant. Égouttez et placez dans un saladier. Ajoutez la ricotta, la moitié du parmesan, l'œuf, le basilic, la muscade, puis salez et poivrez. Mélangez et réservez.
Dans une casserole, portez à ébullition un grand volume d'eau salée. Faites-y cuire les pâtes 8 min environ. Elles doivent rester *al dente*. Égouttez-les soigneusement.
Dans une casserole de taille moyenne, faites fondre le beurre à feu doux. Ajoutez la farine, en remuant constamment jusqu'à obtention d'un mélange lisse. Continuez de remuer 2 min environ, puis retirez du feu.
Ajoutez le lait, en fouettant, puis replacez sur le feu. Portez à ébullition, en remuant jusqu'à épaississement. Retirez du feu 10 min après le premier bouillon. Rectifiez l'assaisonnement.
Garnissez les cannellonis de la préparation au bœuf et disposez-les dans un grand plat allant au four (23 × 33 cm ou 9 × 13 po) préalablement beurré. Nappez de sauce et saupoudrez de parmesan. Enfournez 20 à 25 min. Le dessus doit être bien gratiné.

Voir variantes p. 72

Pastitsio aux légumes

Pour 4 à 6 personnes

Voici une version végétarienne du traditionnel pastitsio grec. Ce plat regorgeant de saveurs s'accompagne bien d'une salade composée et d'une tranche de pain croustillant.

225 g de pâtes à garnir
4 c. à s. d'huile d'olive extravierge
2 gousses d'ail, finement émincées
500 g (4 tasses) de purée de tomates en conserve
800 g (3 tasses) de tomates entières en conserve
Sel et poivre noir fraîchement moulu, au goût
4 feuilles de basilic frais, grossièrement ciselées
1 c. à t. d'origan frais, finement ciselé
1 c. à t. de thym frais
225 g (1 ⅓ tasse) d'oignons, finement émincés
225 g (1 ⅓ tasse) d'aubergines, coupées en dés
225 g (1 ⅓ tasse) de courgettes, coupées en dés
2 œufs, légèrement battus
100 g (½ tasse) de yogourt nature

Préchauffez le four à 345 °F (175 °C). Beurrez généreusement un plat allant au four.
Dans une casserole de bonne taille, portez à ébullition un grand volume d'eau salée. Faites-y cuire les pâtes, 8 min environ. Elles doivent rester *al dente*. Égouttez-les soigneusement.
Dans une grande poêle, faites chauffer à feu moyen l'huile d'olive et mettez-y l'ail à revenir, 4 min environ, jusqu'à ce qu'il soit bien doré. Ajoutez la purée de tomates, puis les tomates entières, légèrement concassées avec une cuillère en bois. Mélangez bien. Salez et poivrez, puis agrémentez de basilic, d'origan et de thym. Réduisez le feu et laissez mijoter 10 min.
Dans une autre poêle, faites chauffer l'huile d'olive à feu vif et mettez-y l'oignon, l'aubergine et les courgettes à revenir 5 min environ. Salez et poivrez. Réservez.
Dans un bol, mélangez les œufs et le yogourt. Garnissez le plat de la moitié de la sauce tomate. Couvrez du mélange aubergines-courgettes et nappez du reste de sauce. Disposez les pâtes par-dessus et nappez-les du mélange yogourt-œufs. Enfournez 45 min, pour bien gratiner.

Voir variantes p. 73

Variantes

Riz rouge au bœuf et au bacon

Recette de base p. 45

Riz rouge au bœuf, au bacon et aux haricots noirs
Suivez la recette de base, en ajoutant aux tomates 1 boîte de haricots noirs en conserve, rincés et égouttés.

Riz rouge au bœuf, au bacon, à la feta et aux olives
Suivez la recette de base, en ajoutant aux tomates 100 g (3 ½ oz) d'olives noires émincées. Remplacez le fromage râpé par de la feta émiettée.

Riz rouge au bœuf, au bacon et aux poivrons
Suivez la recette de base, en utilisant un mélange de 50 g (2 tasses) de poivrons rouges, 50 g (2 tasses) de poivrons verts et 50 g (2 tasses) de poivrons jaunes, coupés en lamelles, en lieu et place des poivrons rouges uniquement.

Riz rouge épicé au bœuf et au bacon
Suivez la recette de base, en ajoutant aux tomates ¼ de c. à t. de piment de Cayenne, ½ c. à t. de cumin en poudre et 1 c. à t. de piment en poudre.

Riz rouge au bœuf, au bacon, au maïs et à la mozzarella
Suivez la recette de base, en ajoutant aux tomates 1 boîte de maïs doux en conserve, préalablement rincé et égoutté. Pour le fromage, utilisez de la mozzarella en tranches.

Variantes

Rigatoni au chorizo

Recette de base p. 46

Rigatoni épicés au chorizo fort
Suivez la recette de base, en remplaçant le chorizo moyennement fort par une variété plus relevée. Ajoutez à la sauce aux herbes aromatiques ¼ de c. à t. de piment en poudre.

Rigatoni au chorizo et aux poivrons rouges
Suivez la recette de base, en ajoutant au mélange pâtes-sauce 350 g (2 ½ tasses) de poivrons rouges en conserve, préalablement égouttés et émincés.

Rigatoni au chorizo et à la fontina
Suivez la recette de base, en remplaçant le provolone par de la fontina râpée.

Rigatoni au chorizo et aux champignons
Suivez la recette de base, en ajoutant à l'ail et aux oignons 250 g (3 ¼ tasses) de champignons émincés.

Rigatoni aux aubergines et à la mozzarella
Suivez la recette de base, sans le chorizo. Mélangez 900 g (5 ⅓ tasses) d'aubergines, coupées en dés, à 2 c. à t. de sel, puis laissez dégorger 30 min. Rincez et épongez les légumes avec du papier absorbant. Dans une grande marmite en fonte, faites chauffer 10 cl (½ tasse) d'huile d'olive extravierge et mettez-y les aubergines à revenir (en plusieurs fois) 5 min, jusqu'à ce qu'elles soient bien dorées. Égouttez sur du papier absorbant, en conservant 2 c. à s. de l'huile de cuisson. Préparez la sauce et ajoutez-y les dés d'aubergine 5 min avant la fin de la cuisson. Recouvrez le plat, une fois dressé, de tranches de mozzarella.

Variantes

Manicotti aux épinards et aux trois fromages

Recette de base p. 49

Manicotti aux trois fromages et au persil
Suivez la recette de base, sans les épinards. Ajoutez à la préparation au fromage 25 g (1/3 tasse) de persil frais finement ciselé.

Manicotti aux trois fromages et à l'origan
Suivez la recette de base, sans les épinards. Ajoutez à la préparation au fromage 1 c. à t. d'origan frais finement ciselé.

Manicotti aux trois fromages et à la viande
Suivez la recette de base, en remplaçant la sauce tomate par une sauce à la viande. Dans une grande poêle à fond épais, faites revenir 450 g (1 lb) de bœuf maigre haché et 225 g (1 1/3 tasse) d'oignons finement émincés 10 min environ. Égouttez la viande. Ajoutez-y les tomates et poursuivez comme indiqué dans la recette.

Manicotti aux épinards, aux trois fromages et à la mozzarella
Suivez la recette de base, en remplaçant le fromage blanc par la même quantité de mozzarella râpée.

Manicotti aux épinards, aux trois fromages et aux champignons
Suivez la recette de base, en ajoutant 225 g (3 tasses) de champignons émincés à l'ail servant à la préparation de la sauce tomate.

Variantes

Arroz con pollo

Recette de base p. 50

Arroz con pollo au paprika fumé
Suivez la recette de base, en remplaçant le paprika espagnol de l'eau safranée par 1 c. à t. de paprika fumé.

Arroz con pollo aux poivrons rouges
Suivez la recette de base, en accompagnant chaque portion de 2 c. à s. de poivrons rouges en conserve, égouttés et finement émincés.

Arroz con pollo aux olives
Suivez la recette de base, en accompagnant chaque portion 2 c. à s. d'olives farcies aux poivrons rouges, finement émincées.

Arroz con pollo au rocou
Suivez la recette de base, en remplaçant le paprika espagnol de l'eau safranée par 1 c. à t. de rocou en poudre (vendu dans les épiceries fines).

Arroz con pollo à la coriandre fraîche
Suivez la recette de base, en parsemant chaque portion de 2 c. à s. de coriandre fraîche, finement ciselée.

Variantes

Penne à la ricotta et au pesto

Recette de base p. 53

Penne en sauce crémeuse
Suivez la recette de base. Laissez refroidir la sauce à température ambiante et réduisez-la en purée avant de la mélanger aux pâtes.

Penne à la ricotta, aux champignons et à la tapenade
Suivez la recette de base, en faisant revenir 100 g (1 1/3 tasse) de champignons émincés en même temps que l'ail et les oignons, et en remplaçant le pesto par de la tapenade.

Penne à la ricotta et au pesto rouge
Suivez la recette de base, en remplaçant le pesto traditionnel par la même quantité de pesto rouge à la tomate.

Penne à la ricotta et aux poivrons rouges grillés
Suivez la recette de base, en ajoutant à la sauce tomate 100 g (4 tasses) de poivrons grillés coupés en fines lamelles.

Rigatoni au fromage blanc et au pesto
Suivez la recette de base, en remplaçant les penne par des rigatoni et la ricotta par du fromage blanc.

Variantes

Riz basmati aux oignons et à l'emmenthal

Recette de base p. 54

Riz jasmin aux oignons et à l'emmenthal
Suivez la recette de base, en remplaçant le riz basmati par du riz jasmin thaï.

Riz basmati aux oignons, aux champignons et au gruyère
Suivez la recette de base, en ajoutant à la préparation 225 g (3 tasses) de petits champignons et en remplaçant l'emmenthal par du gruyère.

Riz basmati aux oignons, aux échalotes et à l'emmenthal
Suivez la recette de base, en remplaçant les oignons jaunes, à hauteur des deux tiers, par des oignons rouges finement émincés et, pour le tiers restant, par des échalotes finement émincées.

Riz basmati aux oignons, à l'emmenthal et aux graines de tournesol
Suivez la recette de base, en saupoudrant le plat de 100 g (2/3 tasse) de graines de tournesol concassées avant de l'enfourner.

Variantes

Lasagnes à la bolognaise

Recette de base p. 57

Lasagnes à la bolognaise, version allégée
Suivez la recette de base, en utilisant de la viande de bœuf extramaigre et de la mozzarella allégée, et en substituant à la ricotta du fromage blanc à la faisselle.

Lasagnes à la bolognaise minute
Suivez la recette de base, sans les sept premiers ingrédients. Utilisez 1 kg (4 tasses) de sauce à la viande du commerce et remplacez les feuilles de lasagnes traditionnelles par des feuilles précuites, que l'on met directement au four.

Lasagnes au chorizo
Suivez la recette de base, en remplaçant la viande de bœuf par la même quantité de chorizo moyennement fort, débarrassé de sa peau et débité en petits tronçons.

Lasagnes aux légumes
Suivez la recette de base, sans la viande de bœuf. Faites revenir les oignons et l'ail dans 2 c. à s. d'huile d'olive extravierge. Ajoutez-y 100 g (⅔ tasse) de carottes, pelées et coupées en petits dés, ainsi que 50 g (⅓ tasse) de céleri, également coupé en petits dés. Incorporez 450 g (7 ½ tasses) d'épinards frais hachés et 1 œuf légèrement battu à la préparation à la ricotta.

Variantes

Kedgeree

Recette de base p. 58

Kedgeree à la mangue
Suivez la recette de base, en accompagnant chaque portion de 2 tranches de mangue fraîche et de 2 c. à s. de chutney de mangue du commerce.

Kedgeree au yogourt
Suivez la recette de base, sans la coriandre. Ajoutez à 25 cl (1 tasse) de yogourt nature 3 c. à s. de feuilles de coriandre fraîche finement ciselées et garnissez chaque portion de 50 g (¼ tasse) de cette préparation.

Kedgeree à la truite fumée
Suivez la recette de base, en remplaçant le haddock par une quantité égale de filets de truite fumée.

Kedgeree au saumon
Suivez la recette de base, en remplaçant le haddock par une quantité égale de saumon frais poché. Faites cuire le saumon 3 à 5 min dans 45 cl (1 ¾ tasse) d'eau, selon l'épaisseur des filets. Vérifiez la cuisson en piquant la partie la plus épaisse – une chair opaque indique que le poisson est cuit.

Variantes

Cannellonis

Recette de base p. 61

Cannellonis au crabe
Suivez la recette de base, en remplaçant le bœuf haché et l'ail par 450 g (2 tasses) de chair de crabe.

Cannellonis aux épinards
Suivez la recette de base, en remplaçant le bœuf haché et l'ail par 450 g (7 ½ tasses) d'épinards frais hachés.

Cannellonis aux crevettes
Suivez la recette de base, en remplaçant le bœuf haché et l'ail par 450 g (2 tasses) de crevettes roses cuites, décortiquées, nettoyées et coupées en petits morceaux.

Cannellonis au jambon cru
Suivez la recette de base, en remplaçant le bœuf haché et l'ail par 100 g (½ tasse) de jambon cru finement coupé.

Variantes

Pastitsio aux légumes

Recette de base p. 62

Pastitsio au hachis d'agneau
Suivez la recette de base, en ajoutant à la sauce tomate 450 g (1 lb) d'agneau haché. Faites revenir la viande avec de l'ail, égouttez-la et procédez selon les indications de la recette.

Pastitsio au hachis de bœuf
Suivez la recette de base, en ajoutant à la sauce tomate 450 g (1 lb) de viande de bœuf maigre hachée. Faites revenir la viande avec de l'ail, égouttez-la et procédez selon les indications de la recette.

Pastitsio aux macaronis
Suivez la recette de base, en remplaçant les pâtes à farcir par des macaronis.

Pastitsio à la béchamel
Suivez la recette de base, en remplaçant le mélange yogourt-œufs par 175 g (2/3 tasse) de béchamel : dans une petite casserole, faites fondre à feu doux 1 c. à s. de beurre. Ajoutez-y 1 c. à s. de farine, en remuant bien jusqu'à obtention d'un mélange lisse. Retirez du feu au premier bouillon. Incorporez, en fouettant, 25 cl (1 tasse) de lait entier. Portez à ébullition, sans cesser de remuer. Poursuivez la cuisson 2 à 3 min après le premier bouillon jusqu'à épaississement. Retirez du feu, salez et agrémentez de 1 pincée de noix muscade en poudre. Versez sur les pâtes et procédez selon les indications de la recette.

Prix d'élégance

Les mijotés peuvent être des modèles d'élégance culinaire, pour peu qu'on soigne leur préparation. Prévoyez en réaliser un pour votre prochain dîner entre amis – vous passerez ainsi moins de temps en cuisine et profiterez davantage de vos invités et de votre soirée. Les grands classiques un peu rustiques peuvent se faire des plus raffinés quand ils incluent les meilleurs ingrédients.

Paella simplifiée

Pour 2 personnes

Un plat délicieux, très proche de l'authentique paella, mais plus rapide à préparer, qui plus est dans une cocotte en fonte, qui fait ici parfaitement l'affaire.

3 c. à s. d'huile d'olive extravierge
1 c. à s. d'oignons, finement hachés
1/4 de c. à t. de curcuma en poudre
1/4 de c. à t. de paprika espagnol
1 pincée de brins de safran
225 g (2 tasses) de crevettes roses crues, décortiquées et nettoyées
225 g (2 tasses) de pétoncles moyens
1 tomate, concassée
1 gousse d'ail, finement émincée
45 cl (1 3/4 tasse) de fond de poisson du commerce
225 g (1 1/8 tasse) de riz blanc à grain moyen
6 moules, dans leur coquille
1 poivron rouge, épépiné et coupé en lamelles
Sel et poivre noir fraîchement moulu, au goût
50 g (3/4 tasse) de persil plat, finement ciselé

Dans une grande cocotte en fonte, faites chauffer l'huile d'olive à feu moyen et mettez-y l'oignon à revenir, 4 min environ ; il doit être translucide. Ajoutez le curcuma en poudre, le paprika et le safran. Après 1 min de cuisson, ajoutez les crevettes, les pétoncles, la tomate et l'ail, et laissez cuire encore 5 min, en remuant de temps à autre.
Augmentez le feu, ajoutez le fond de poisson et attendez l'ébullition. Versez le riz en pluie, remuez bien, réduisez le feu et laissez mijoter à couvert 15 min.
Remuez encore, puis disposez les moules et les lamelles de poivron rouge sur le dessus. Poursuivez la cuisson 10 min environ ; les moules doivent être ouvertes et les poivrons cuits, mais croquants. Ôtez les coquillages qui seraient restés fermés.
Réservez 2 min à découvert avant de servir. Rectifiez l'assaisonnement à votre convenance et saupoudrez de persil.

Voir variantes p. 91

Osso buco

Pour 4 personnes

Le nom de ce délicieux plat traditionnel de la patrie de Dante signifie « os à moelle », en italien. Demandez à votre boucher de belles tranches de veau dans le jarret.

4 grosses tranches d'osso buco de 275 g (½ lb)
25 à 50 g (¼ à ⅜ tasse) de farine tout usage
25 g (2 c. à s.) de beurre doux
1 c. à s. d'huile d'olive extravierge
½ oignon (gros), finement émincé
1 branche de céleri, coupée en dés
1 carotte, coupée en dés
10 cl (½ tasse) de vin blanc sec
400 g (1 ⅔ tasse) de tomates entières en conserve
2 gousses d'ail, finement émincées
1 c. à s. de persil, ciselé + 25 g (⅓ tasse)
¼ de c. à t. de sarriette séchée
¼ de c. à t. de romarin séché, émietté
25 cl (1 tasse) de fond de volaille
Sel et poivre noir fraîchement moulu, au goût
Le zeste de ½ citron

Préchauffez le four à 320 °F (160 °C). Farinez légèrement les morceaux de viande.
Dans une grande cocotte en fonte, faites chauffer la moitié du beurre et l'huile, et mettez-y la viande à revenir 12 min environ, en remuant régulièrement. Réservez dans un plat.
Dans la même cocotte, faites fondre le reste de beurre et mettez-y les oignons, le céleri et les carottes à revenir 5 min environ ; l'oignon doit être translucide, le céleri et les carottes doivent être tendres. Mouillez de vin blanc et laissez cuire jusqu'à réduction d'une partie du liquide. Ajoutez les tomates, l'ail, 1 c. à s. de persil ciselé, la sarriette, le romarin et 15 cl (⅝ tasse) de fond de volaille. Portez à ébullition. Disposez les morceaux de viande dans la sauce, en évitant de les faire se chevaucher, puis baissez le feu et laissez mijoter.
Couvrez la cocotte et enfournez pour 2 h. À mi-cuisson, si nécessaire, allongez la sauce de 10 cl (½ tasse) de fond de volaille. Salez et poivrez. Avant de servir, décorez du zeste et du persil.

Voir variantes p. 92

Coq au vin

Pour 4 personnes

Le coq au vin fait toujours l'unanimité. Servez-le accompagné d'une salade composée et d'un peu de pain bien croustillant, pour permettre aux convives qui le désirent de «saucer».

50 g (3/8 tasse) de farine tout usage
1 1/2 c. à t. de sel
1/4 de c. à t. de poivre noir fraîchement moulu
6 tranches (épaisses) de bacon
1 coq entier (1,8 à 2 kg ou 4 à 4 1/2 lb), découpé en 8 morceaux
6 oignons sauciers entiers, pelés
2 gousses d'ail, finement hachées
100 g (2/3 tasse) de céleri, coupé en dés
225 g (1 1/4 tasse) de carottes, en gros tronçons
225 g (3 tasses) de champignons de Paris, émincés
25 cl (1 tasse) de fond de volaille
25 cl (1 tasse) de vin rouge, corsé
1/2 c. à t. de thym séché
1 feuille de laurier
2 c. à s. de persil plat, finement haché

Dans un petit saladier, mélangez 1 c. à t. de sel, le poivre et la farine. Épongez soigneusement les morceaux de coq avec du papier absorbant et farinez-les. Réservez.
Dans une grande cocotte en fonte, faites revenir le bacon à feu vif, jusqu'à ce qu'il soit bien croustillant. Disposez-le dans une assiette sur du papier absorbant. Réservez.
Dans la même cocotte, dans laquelle vous aurez conservé la graisse du bacon, mettez à rissoler les morceaux de coq. Ajoutez les oignons, l'ail, le céleri, les carottes et les champignons, et poursuivez la cuisson 10 min environ ; les oignons doivent être tendres. Débarrassez la préparation d'un éventuel excès de gras. Ajoutez-y le bacon croustillant émietté, puis le fond de volaille, le vin, le sel restant (1/2 c. à t.), le thym, le laurier et le persil. Laissez mijoter à couvert et à feu doux 1 h 30 environ ; le coq doit être tendre. Ôtez les feuilles de laurier avant de servir.

Voir variantes p. 93

Bœuf bourguignon

Pour 6 à 8 personnes

Ce grand classique de la cuisine française doit sa saveur au vin servant à la préparation de la sauce. N'hésitez donc pas à choisir une bouteille de qualité !

4 tranches (épaisses) de bacon
1,4 kg (3 lb) de bœuf à braiser, coupé en morceaux de 2,5 cm (3/4 po) de côté
Sel et poivre noir fraîchement moulu, au goût
40 g (1/3 tasse) de farine tout usage
4 oignons moyens, finement émincés
2 gousses d'ail, finement émincées
450 g (6 tasses) de champignons de Paris, émincés
1 c. à s. de purée de tomates
70 cl (2 3/4 tasses) de consommé de bœuf
75 cl (3 tasses) de vin rouge
1/2 branche de céleri
4 brins de thym et de persil
2 feuilles de laurier

Dans une grande cocotte en fonte, faites revenir le bacon à feu vif, jusqu'à ce qu'il soit bien croustillant. Disposez-le dans une assiette sur du papier absorbant. Réservez.
Salez et poivrez les morceaux de bœuf après les avoir épongés avec du papier absorbant. Farinez-les et mettez-les à rissoler dans la cocotte, dans la graisse du bacon.
Toujours dans la même cocotte, faites revenir les oignons, l'ail et les champignons 5 min environ ; les oignons doivent être translucides. Réservez cette préparation.
Versez la purée de tomates dans la cocotte et faites cuire 1 min, en remuant constamment. Ajoutez-y le bœuf et le bacon émietté, puis le consommé de bœuf et le vin rouge. Attachez céleri et aromates en un bouquet garni, que vous ajouterez à la préparation.
Laissez mijoter le tout 3 h 30 à 4 h ; la viande doit être tendre. Incorporez alors le mélange d'oignons, d'ail et de champignons et faites cuire le tout 10 min encore.
Ôtez le bouquet garni, écumez le gras en surface et servez aussitôt.

Voir variantes p. 94

Lapin braisé au vin blanc

Pour 4 personnes

Si vous n'avez jamais encore préparé de lapin, cette recette facile à réaliser vous permettra de franchir le pas en beauté et d'impressionner vos invités.

50 g (3/8 tasse) de farine tout usage
Sel
1/4 de c. à t. de poivre noir fraîchement moulu
1,4 kg (3 lb) de lapin, coupé en 6 morceaux
2 c. à s. d'huile d'olive extravierge
225 g (1 1/3 tasse) d'échalotes entières, pelées
4 gousses d'ail, pelées
450 g (1 lb) de pommes de terre nouvelles
75 cl (3 tasses) de vin blanc sec
2 feuilles de laurier
2 c. à s. de ciboulette fraîche, finement ciselée

Dans un petit saladier, mélangez la farine avec 1/2 c. à t. de sel et le poivre. Épongez soigneusement les morceaux de lapin avec du papier absorbant et farinez-les bien de tous côtés. Réservez.

Dans une grande cocotte en fonte, faites chauffer l'huile à feu assez vif et mettez-y les morceaux de viande farinés à revenir 5 min de chaque côté. Disposez-les dans un plat et réservez.

Dans la même cocotte, faites sauter les échalotes, légèrement salées, 5 min environ ; elles doivent être translucides. Ajoutez l'ail et poursuivez la cuisson 3 min. Incorporez ensuite les pommes de terre et les morceaux de lapin, couvrez du vin et ajoutez le laurier. Remuez bien, portez à ébullition, puis baissez le feu et laissez mijoter 1 h 30. Le lapin doit être tendre et moelleux. En fin de cuisson, ôtez les feuilles de laurier. Dressez dans un plat et parsemez de ciboulette avant de servir.

Voir variantes p. 95

Homard à la florentine

Pour 4 à 6 personnes (en accompagnement)

Ce plat facile à réaliser fait un excellent accompagnement, mais convient aussi en amuse-bouche, accompagné de fines tranches de baguette grillées.

450 g (2 tasses) de chair de homard cuit, coupée en dés
3 c. à s. de beurre doux
2 c. à s. de farine tout usage
25 cl (1 tasse) de crème 35 %
100 g (1 tasse) de parmesan, fraîchement râpé
Sel et poivre noir fraîchement moulu, au goût
275 g (4 1/2 tasses) d'épinards surgelés, dégelés et soigneusement égouttés
225 g (1/2 tasse) de mozzarella, coupée en dés
50 g (8 oz) de chapelure

Préchauffez le four à 345 °F (175 °C).
Beurrez un plat à tarte de 23 cm (9 po) de diamètre et tapissez-en le fond de homard.
Dans une casserole de taille moyenne, faites fondre le beurre à feu doux. Ajoutez-y la farine, en remuant constamment jusqu'à obtention d'un mélange lisse. Continuez de remuer 1 min environ, puis retirez du feu.
Ajoutez ensuite la crème épaisse, en fouettant bien, puis replacez la casserole sur le feu. Portez à ébullition, sans cesser de remuer, jusqu'à épaississement. Retirez du feu 1 à 2 min après le premier bouillon et après avoir ajouté la moitié du parmesan.
Dans un tamis assez fin, pressez légèrement les feuilles d'épinards grossièrement hachées, pour les débarrasser d'un éventuel excès d'eau. Au besoin, épongez-les avec du papier absorbant. Disposez-les par-dessus le homard et nappez de la sauce à la crème. Parsemez de dés de mozzarella, puis du reste de parmesan et de chapelure.
Enfournez 20 min ; le plat doit être chaud à cœur et bien doré sur le dessus.

Voir variantes p. 96

Riz sauvage aux crevettes

Pour 6 à 8 personnes

Un plat savoureux, qui régalera à coup sûr vos convives.

225 g (1 1/8 tasse) de riz sauvage
Sel
450 g (2 tasses) de crevettes roses crues, décortiquées et nettoyées
50 g (3 c. à s.) de beurre doux + 2 c. à s.
100 g (2/3 tasse) d'oignons, finement émincés
Poivre noir fraîchement moulu
25 g (1/4 tasse) de farine tout usage
25 cl (1 tasse) de lait entier
225 g (2 tasses) de gruyère, râpé
100 g (4 tasses) de poivron jaune, épépiné et coupé en petits dés

Préchauffez le four à 345 °F (175 °C). Beurrez généreusement un plat allant au four.
Faites cuire le riz selon les indications données sur le paquet, en réduisant la quantité d'eau indiquée de 5 cl (1/4 tasse). Égouttez-le soigneusement et réservez.
Dans une casserole de taille moyenne, mettez à chauffer 45 cl (1 3/4 tasse) d'eau additionnés de 1/2 c. à t. de sel. Plongez-y les crevettes 1 min. Égouttez et réservez.
Dans une poêle, faites chauffer 2 c. à s. de beurre et mettez-y les oignons, additionnés de 1/4 de c. à t. de poivre, à blondir 5 min ; l'oignon doit être translucide. Réservez.
Dans une autre poêle, faites fondre à feu moyen le beurre restant. Ajoutez-y la farine, salez et poivrez, en remuant constamment jusqu'à obtention d'un mélange lisse.
Remuez 1 min encore, puis retirez du feu. Ajoutez le lait, en fouettant bien, puis replacez la casserole sur le feu. Portez à ébullition, sans cesser de remuer, jusqu'à épaississement.
Retirez du feu 1 à 2 min après le premier bouillon et après avoir ajouté les trois quarts du fromage. Ajoutez encore le riz, les crevettes, l'oignon et les poivrons, et mélangez bien.
Transvasez la préparation dans le plat et parsemez du reste de fromage. Enfournez 30 min.

Voir variantes p. 97

Risotto de pancetta au parmesan

Pour 2 personnes (en plat principal)
Pour 3 ou 4 personnes (en accompagnement)

D'un raffinement indiscutable, ce riz crémeux, qui mêle les saveurs de la pancetta et les délicats arômes du basilic, peut être servi en plat principal comme en accompagnement.

12 g (1 c. à s.) de beurre doux
100 g (1/2 tasse) d'huile d'olive extravierge
100 g (2/3 tasse) d'oignons, finement émincés
1 gousse d'ail, finement émincée
100 g (3 1/2 oz) de pancetta, en chiffonnade
300 g (1 1/2 tasse) de riz arborio
20 cl (7/8 tasse) de vin blanc sec
1 l (4 tasses) de fond de volaille
Sel et poivre noir fraîchement moulu, au goût
175 g (1 3/4 tasse) de parmesan, fraîchement râpé
6 feuilles de basilic frais

Dans une cocotte en fonte, faites fondre à feu moyen le beurre et l'huile, et mettez-y l'oignon, l'ail et la pancetta à revenir, 5 min environ ; l'oignon doit être translucide.
Ajoutez le riz et remuez sans cesse, jusqu'à complète absorption du beurre et de l'huile.
Retirez la cocotte du feu, puis versez-y le vin et 25 cl (1 tasse) de fond de volaille. Replacez-la sur le feu et laissez mijoter à feu doux 10 à 15 min, en remuant de temps à autre.
Une fois le liquide absorbé, rajoutez 25 cl (1 tasse) de fond de volaille. Poursuivez la cuisson, sans cesser de remuer et en mouillant régulièrement la préparation, jusqu'à utiliser tout le bouillon. Le riz doit être tendre et l'ensemble crémeux.
Retirez la cocotte du feu. Salez et poivrez, et incorporez 100 g (1 tasse) de parmesan.
Parsemez le risotto de feuilles de basilic frais, entières ou ciselées, et de 100 g (1 tasse) de parmesan avant de servir, bien chaud.

Voir variantes p. 98

Navarin d'agneau

Pour 4 personnes

L'agneau de lait se prête particulièrement à la réalisation de cette recette. Accompagnez le navarin de petites pommes de terre nouvelles rissolées dans un beurre persillé.

900 g (2 lb) de gigot d'agneau, désossé et découpé en dés de 5 cm (2 po) de côté
Sel et poivre noir fraîchement moulu, au goût
40 g (1/3 tasse) de farine tout usage
2 c. à s. d'huile d'olive extravierge
1 c. à t. de sucre semoule
1 gros oignon jaune, coupé en huit
1 gousse d'ail, finement émincée
4 carottes, coupées en gros tronçons
25 cl (1 tasse) de fond de volaille
1 brin de thym frais

Salez et poivrez l'agneau après l'avoir soigneusement épongé. Farinez-le légèrement.
Dans une grande cocotte en fonte, faites chauffer l'huile et mettez-y la viande à rissoler, 4 min de chaque côté. Saupoudrez de sucre avant de retourner les morceaux d'agneau, pour faciliter leur caramélisation. Réservez.
Dans la même cocotte, faites sauter l'oignon, l'ail et les carottes 3 min environ ; l'oignon doit être tendre.
Ajoutez-y les morceaux d'agneau, ainsi que le fond de volaille et le thym. Portez le tout à ébullition, couvrez la cocotte, puis laissez mijoter à feu doux 1 h à 1 h 30. L'agneau doit être tendre.
À l'aide d'une écumoire, ôtez le gras qui serait éventuellement remonté à la surface. Dressez dans un plat approprié et servez aussitôt.

Voir variantes p. 99

Variantes

Paella simplifiée

Recette de base p. 75

Paella simplifiée aux calamars
Suivez la recette de base, en remplaçant les pétoncles par des calamars.

Paella simplifiée au poulet
Suivez la recette de base, en remplaçant les pétoncles par 225 g (½ lb) de cuisses de poulet, sans la peau et coupées en morceaux.

Paella simplifiée aux artichauts
Suivez la recette de base, en ajoutant à la préparation 1 boîte de cœurs d'artichaut en conserve, avant d'y incorporer les moules.

Paella simplifiée aux petits pois
Suivez la recette de base, en ajoutant à la préparation 225 g (1 ⅓ tasse) de petits pois, avant d'y incorporer les moules.

Paella simplifiée aux clams
Suivez la recette de base, en remplaçant les crevettes par le même poids de petits clams dans leur coquille.

Variantes

Osso buco

Recette de base p. 76

Osso buco aux olives
Suivez la recette de base, en ajoutant aux tomates 100 g (3 ½ oz) d'olives de Kalamata, dénoyautées et coupées en deux.

Osso buco aux champignons
Suivez la recette de base, en ajoutant 225 g (3 tasses) de champignons sautés avant de servir. Pour les champignons : dans une poêle, faites fondre 1 c. à s. de beurre doux et mettez-y à revenir les champignons coupés en quartiers. Salez et poivrez, saupoudrez de thym. Retirez la poêle du feu quand les champignons commencent à rendre leur eau.

Osso buco à la gremolata
Suivez la recette de base, sans le zeste de citron ni le persil. Préparez la gremolata en mélangeant 2 c. à s. de persil, 2 c. à s. d'ail finement haché et 1 c. à s. de zeste de citron finement râpé. Répartissez sur chaque portion.

Osso buco aux poivrons
Suivez la recette de base, en ajoutant au mélange carottes-céleri 100 g (4 tasses) de poivrons rouges coupés en lamelles.

Osso buco au vin rouge
Suivez la recette de base, en remplaçant le vin blanc par du vin rouge.

Variantes

Coq au vin

Recette de base p. 79

Coq au vin blanc
Suivez la recette de base, en remplaçant le vin rouge par du vin blanc sec.

Coq au vin aux oignons cipollini
Suivez la recette de base, en remplaçant les oignons sauciers par 6 à 8 oignons cipollini entiers, pelés et nettoyés.

Coq au vin aux morilles
Suivez la recette de base, en remplaçant les champignons de Paris par la même quantité de morilles. Vous pouvez utiliser des morilles déshydratées en lieu et place de morilles fraîches. Prenez le temps de bien les réhydrater et de les nettoyer soigneusement avant utilisation.

Coq au champagne
Suivez la recette de base, en remplaçant le vin rouge par le même volume de champagne – ou de vin pétillant, type crémant.

Coq au vin et au cognac
Suivez la recette de base, en mouillant la viande de 20 cl (7/8 tasse) de cognac après l'avoir braisée.

Variantes

Bœuf bourguignon

Recette de base p. 80

Bœuf bourguignon au panais
Suivez la recette de base, en ajoutant aux carottes 2 panais, pelés et coupés en gros dés.

Bœuf bourguignon aux champignons de Paris bruns
Suivez la recette de base, en remplaçant les champignons de Paris blancs par la même quantité de champignons de Paris bruns, préalablement nettoyés et grossièrement hachés.

Bœuf bourguignon à la pancetta
Suivez la recette de base, en remplaçant le bacon par 225 g (8 oz) de pancetta, coupée en dés.

Chevreuil bourguignon
Suivez la recette de base, en remplaçant la viande de bœuf par la même quantité de chevreuil.

Bœuf bourguignon aux petits pois
Suivez la recette de base, en ajoutant aux oignons et aux champignons 100 g (5/8 tasse) de petits pois (frais ou surgelés), avant de les remettre dans la cocotte.

Variantes

Lapin braisé au vin blanc

Recette de base p. 83

Lapin braisé au vin rouge
Suivez la recette de base, en remplaçant le vin blanc par le même volume de vin rouge.

Lapin braisé au champagne
Suivez la recette de base, en remplaçant le vin blanc par le même volume de champagne – ou de vin pétillant, type crémant.

Lapin braisé au vin blanc et à la coriandre
Suivez la recette de base, en remplaçant la ciboulette par la même quantité de coriandre fraîche, finement ciselée.

Lapin braisé au vin blanc et au pesto
Suivez la recette de base, en remplaçant la ciboulette par 1 c. à t. de pesto du commerce par portion.

Poulet braisé au vin blanc
Suivez la recette de base, en remplaçant le lapin par un poulet de 1,4 kg (3 lb), coupé en 8 morceaux.

Variantes

Homard à la florentine

Recette de base p. 84

Crabe à la florentine
Suivez la recette de base, en remplaçant le homard par de la chair de crabe.

Pétoncles à la florentine
Suivez la recette de base, en remplaçant le homard par 450 g (2 tasses) de pétoncles. Plongez les pétoncles dans un grand volume d'eau bouillante, 2 min environ. Retirez-les à l'aide d'une écumoire et épongez-les avec du papier absorbant. Pour la suite, reportez-vous à la recette de base.

Homard à la florentine au basilic frais
Suivez la recette de base, en ajoutant à la chapelure 2 c. à s. de feuilles de basilic fraîches, finement ciselées, avant d'en parsemer la sauce.

Homard à la florentine au persil plat
Suivez la recette de base, en ajoutant à la chapelure 2 c. à s. de feuilles de persil plat, finement ciselées, avant d'en parsemer la sauce.

Variantes

Riz sauvage aux crevettes

Recette de base p. 87

Riz complet aux crevettes

Suivez la recette de base, en remplaçant le riz sauvage par la même quantité de riz complet. Préparez le riz complet comme indiqué sur le paquet.

Riz sauvage aux crevettes et aux brocolis

Suivez la recette de base, en ajoutant au mélange riz-crevettes 225 g (1 ¼ tasse) de brocolis cuits à la vapeur. Disposez les bouquets de brocolis dans un panier de cuisson placé au-dessus d'une casserole contenant de l'eau à hauteur de 2,5 cm (1 po). Portez l'eau à ébullition et laissez cuire les brocolis 3 à 5 min. Ils doivent être tendres, mais fermes.

Riz sauvage aux crevettes et aux pointes d'asperges

Suivez la recette de base, en ajoutant au mélange riz-crevettes 225 g (1 tasse) de pointes d'asperges cuites à la vapeur. Disposez les pointes d'asperges dans un panier de cuisson placé au-dessus d'une casserole contenant de l'eau à hauteur de 2,5 cm (1 po). Portez l'eau à ébullition et laissez cuire les pointes d'asperges 3 à 5 min. Elles doivent être tendres, mais fermes.

Riz basmati aux crevettes

Suivez la recette de base, en remplaçant le riz sauvage par la même quantité de riz basmati. Préparez le riz basmati comme indiqué sur le paquet.

Variantes

Risotto de pancetta au parmesan

Recette de base p. 88

Risotto de pancetta à la courgette et au parmesan
Suivez la recette de base, en ajoutant au riz 225 g (2 tasses) de courgettes râpées, une fois que celui-ci a bien absorbé l'huile et le beurre. Faites cuire 1 min. Pour la suite, reportez-vous à la recette de base.

Risotto de pancetta aux champignons et au parmesan
Suivez la recette de base, en ajoutant au riz 225 g (3 tasses) de champignons hachés grossièrement, une fois que celui-ci a bien absorbé l'huile et le beurre. Faites cuire 2 à 3 min. Pour la suite, reportez-vous à la recette de base.

Risotto de pancetta à la tomate et au parmesan
Suivez la recette de base, en ajoutant au riz 1 tomate concassée, une fois que celui-ci a bien absorbé l'huile et le beurre. Faites cuire 1 min. Pour la suite, reportez-vous à la recette de base.

Risotto de pancetta au maïs doux et au parmesan
Suivez la recette de base, en ajoutant à la préparation 100 g (½ tasse) de maïs doux (frais ou surgelé), après l'addition du fond de volaille.

Variantes

Navarin d'agneau

Recette de base p. 90

Navarin d'agneau aux rutabagas
Suivez la recette de base, en ajoutant aux carottes 225 g (1 ¼ tasse) de rutabagas, pelés et coupés en dés.

Navarin d'agneau aux panais
Suivez la recette de base, en ajoutant aux carottes 2 panais, pelés et coupés en gros dés.

Navarin d'agneau au romarin
Suivez la recette de base, en remplaçant le thym par 1 brin de romarin.

Navarin d'agneau à la menthe
Suivez la recette de base, en remplaçant le thym par 1 c. à s. de menthe fraîche, finement ciselée.

Viandes

Les mijotés de ce chapitre sont parfaits pour les soirées d'hiver, quand on ressent le besoin d'un supplément de protéines. Le mélange du bœuf, du porc ou de l'agneau avec des légumes et d'autres ingrédients est qui plus est un moyen économique d'inclure de la viande dans le repas familial.

Porc braisé au fenouil

Pour 4 personnes

Le mariage du porc tendre à souhait et du fenouil bien parfumé est absolument divin. Accompagnez ce plat d'une purée de pommes de terre à l'ail.

3 c. à t. d'huile d'olive extravierge
1 oignon moyen, émincé
1 gros bulbe de fenouil, coupé en deux et tranché
2 branches de céleri, épluchées et coupées en dés
2 gousses d'ail, finement émincées
800 g (3 tasses) de tomates entières en conserve
10 cl (1/2 tasse) de fond de volaille
4 côtelettes de longe de porc, dégraissées
2 c. à t. de thym frais, finement ciselé

Préchauffez le four à 345 °F (175 °C).
Dans une grande cocotte en fonte, faites chauffer à feu moyen 2 c. à s. d'huile d'olive et mettez-y l'oignon, le fenouil et le céleri à revenir, 10 min environ. Remuez régulièrement ; les légumes doivent être tendres. Ajoutez l'ail et poursuivez la cuisson 1 min. Ajoutez alors les tomates, que vous aurez préalablement concassées. Mouillez le tout de fond de volaille et portez à ébullition. Retirez du feu dès le premier bouillon.
Dans une grande poêle antiadhésive, faites chauffer à feu vif l'huile restante et mettez-y les côtelettes à revenir 2 min environ de chaque côté. Ajoutez la viande à la préparation au fenouil. Couvrez bien la cocotte et enfournez 1 h. La viande doit être bien tendre. Servez au sortir du four, après avoir parsemé le plat de thym frais.

Voir variantes p. 117

Ragoût d'agneau aux haricots verts

Pour 4 personnes

Ce plat peut être préparé à l'avance et réchauffé sur une plaque de cuisson. Si vous préférez les haricots verts légèrement croquants, ajoutez-les 10 min avant la fin de la cuisson et enfournez de nouveau la cocotte, sans son couvercle.

2 c. à s. d'huile d'olive extravierge
450 g (1 lb) d'agneau, coupé en dés de 2,5 cm (1 po) de côté
225 g (1 1/3 tasse) d'oignons rouges, finement émincés
15 g (1 c. à s.) de beurre doux
2 gousses d'ail, finement émincées
275 g (1 tasse) de tomates entières en conserve
1/2 c. à t. de sel
1/4 de c. à t. d'origan séché
45 cl (1 3/4 tasse) d'eau
350 g (2 2/3 tasses) de haricots verts, équeutés

Préchauffez le four à 345 °F (175 °C).
Dans une grande cocotte en fonte, faites chauffer l'huile à feu vif et mettez-y l'agneau à revenir 4 min environ de chaque côté ; la viande doit être bien dorée.
Ajoutez les oignons et poursuivez la cuisson 6 min ; l'oignon doit être lui aussi bien doré.
Incorporez ensuite le beurre et l'ail. Après 2 min de cuisson, incorporez les tomates, que vous aurez légèrement concassées. Salez et agrémentez d'origan séché. Mouillez avec l'eau, puis portez le tout à ébullition. Couvrez la cocotte et enfournez pour 1 h.
Sortez la cocotte du four, ajoutez-y les haricots verts et davantage d'eau, si nécessaire. Enfournez à nouveau 45 min. Sortez du four et réservez à couvert 30 min avant de servir.

Voir variantes p.118

Bœuf Strogonoff

Pour 6 personnes

Voici un plat familial traditionnel, savoureux et rassasiant. Qui n'apprécierait pas ces délicieuses lamelles de faux-filet en sauce crémeuse aux champignons?

25 g (1/4 tasse) de farine tout usage
Sel et poivre noir fraîchement moulu
700 g de faux-filet, coupé en lamelles de 5 cm (2 po) de long
2 c. à s. d'huile d'olive extravierge
50 g (3 c. à s.) de beurre doux
100 g (2/3 tasse) d'oignons, émincés
1 gousse d'ail, finement émincée
450 g (6 tasses) de champignons de Paris, émincés
10 cl (1/2 tasse) de xérès
10 cl (1/2 tasse) de consommé de bœuf
1 c. à s. de jus de citron, fraîchement pressé
25 g (1/3 tasse) de persil plat, finement ciselé + 3 c. à s.
1/2 c. à t. de paprika espagnol
25 cl (1 tasse) de crème sure

Dans un plat légèrement creux, mélangez la farine, 1/2 c. à t. de sel et 1/4 de c. à t. de poivre. Farinez les morceaux de viande.
Dans une grande cocotte en fonte, faites chauffer à feu moyen l'huile et la moitié du beurre, et mettez-y les morceaux de viande à revenir des deux côtés. Réservez.
Dans la même cocotte, faites fondre le reste du beurre et mettez-y les oignons, l'ail et les champignons à revenir, 3 min environ. Ajoutez la viande à cette préparation, puis mouillez de xérès, de consommé de bœuf et de jus de citron. Saupoudrez de 3 c. à t. de persil et de paprika. Salez et poivrez à votre convenance. Laissez mijoter 5 min de plus.
Ajoutez ensuite la crème sure et poursuivez la cuisson à feu moyen, jusqu'à ce que la viande soit bien tendre. Parsemez du reste de persil avant de servir.

Voir variantes p. 119

Côtelettes braisées au chou

Pour 4 personnes

Cette délicieuse recette marie merveilleusement l'acidité du chou à la suavité des autres ingrédients. Le porc s'en trouve sublimé !

900 g (3 2/3 tasses) de choucroute prête à l'emploi, égouttée
60 g (1/4 tasse) de beurre doux
6 tranches (épaisses) de bacon, coupées en dés
1 carotte, coupée en dés
1 oignon moyen, finement émincé
1 feuille de laurier
1/2 c. à t. de thym séché
Sel et poivre noir fraîchement moulu, au goût
10 cl (1/2 tasse) de vin blanc sec
45 cl (1 3/4 tasse) de fond de volaille
4 côtelettes de porc
8 saucisses de Strasbourg

Préchauffez le four à 320 °F (160 °C).
Dans un grand saladier, mettez la choucroute égouttée, recouvrez-la d'eau, mélangez bien et égouttez-la à nouveau.
Dans une grande cocotte en fonte, faites chauffer à feu moyen 40 g (2 c. à s.) de beurre et mettez-y le bacon, la carotte, l'oignon, le laurier et le thym à revenir 5 min environ ; l'oignon doit être translucide. Saupoudrez de 1/4 de c. à t. de poivre. Mouillez de vin, portez le tout à ébullition et laissez mijoter jusqu'à ce que le liquide ait réduit de moitié. Ajoutez le fond le volaille et la choucroute. Mélangez bien. Couvrez hermétiquement la cocotte et enfournez 1 h.
Dans une grande poêle à fond épais, faites chauffer à feu moyen le reste de beurre et mettez-y les côtelettes de porc à revenir 6 min de chaque côté ; la viande doit être bien dorée. Salez et poivrez à votre convenance.
Rajoutez les côtelettes et les saucisses dans la cocotte et enfournez de nouveau 1 h.

Voir variantes p. 120

Enchilada de bœuf

Pour 4 personnes

Ce mijoté typiquement mexicain sera très apprécié lors des soirées bien fraîches. Assaisonnez et épicez selon votre goût.

450 g (1 lb) de viande de bœuf maigre, hachée
225 g (1 1/3 tasse) d'oignons, finement émincés
5 c. à s. de piment en poudre
2 c. à t. de sel
3/4 de c. à t. d'ail semoule lyophilisé + 1 pincée
1 pincée de paprika
2 1/2 c. à t. de cumin en poudre
1,3 l (5 1/2 tasses) d'eau
4 c. à s. d'huile de maïs + un peu pour la friture
8 tortillas de maïs de 15 cm (6 po) de diamètre
75 g (1/2 tasse) de farine tout usage
275 g (10 oz) de cheddar, râpé
275 g (10 oz) de mozzarella, coupée en dés
Crème sure
Oignons blancs, finement émincés

Dans une casserole à fond épais, faites rissoler à feu moyen le bœuf et l'oignon. Égouttez pour ôter l'excès de graisse, puis ajoutez 2 c. à t. de piment en poudre, 1/2 c. à t. de sel, 1 pincée d'ail lyophilisé, le paprika et 1 c. à t. de cumin en poudre. Mouillez de 25 cl (1 tasse) d'eau, portez à ébullition, puis réduisez le feu. Couvrez et laissez mijoter 25 min. Réservez.

Dans une grande poêle à frire, versez de l'huile de maïs sur 5 mm (1/4 po) de haut. Lorsque l'huile est bien chaude, plongez-y 1 tortilla à l'aide d'une pince et faites frire 5 s de chaque côté. Disposez sur une assiette garnie de papier absorbant. Répétez l'opération pour toutes les tortillas. Réservez.

Dans une casserole de taille moyenne, mélangez à feu moyen 4 c. à s. d'huile de maïs, la farine, le reste de poudre de piment, de cumin, d'ail lyophilisé et de sel, jusqu'à obtention

d'une consistance lisse. Mouillez de 1 l (4 tasses) d'eau et continuez de remuer. Portez le tout à ébullition, réduisez le feu et poursuivez la cuisson 4 à 5 min, jusqu'à épaississement. Retirez la casserole du feu et laissez refroidir quelques instants.

Préchauffez le four à 345 °F (175 °C). Beurrez un grand plat allant au four.

Trempez une tortilla dans la sauce, égouttez-la un peu (au-dessus de la casserole), puis disposez-la dans un plat. Garnissez-en le centre de 50 g (2 oz) de farce, puis parsemez de 25 g (1 oz) de chaque fromage. Enroulez la tortilla et puis posez-la, jointure en bas, dans le plat allant au four. Répétez l'opération pour toutes les tortillas. Nappez de 25 cl (1 tasse) de sauce. Enfournez 20 à 25 min ; l'ensemble doit être chaud à cœur. Sortez le plat du four, parsemez la préparation du reste de fromage et servez avec la crème sure et les oignons blancs émincés.

Voir variantes p. 121

Filet mignon forestière

Pour 2 ou 3 personnes

Le fait de braiser à feu doux le porc dans le vin rouge exalte le caractère et la saveur de la viande, qui se fait très moelleuse.

1 c. à s. d'huile d'olive extravierge
450 g (1 lb) de filet mignon de porc, coupé en dés de 2,5 cm (1 po) de côté
3 tranches de bacon, coupées en gros morceaux
1 gousse d'ail, finement émincée
100 g (3/4 tasse) d'échalotes, finement hachées
100 g (1 1/3 tasse) de champignons de Paris, émincés
1/4 de c. à t. de thym séché
1 c. à s. de persil plat, finement ciselé
25 cl (1 tasse) de vin rouge
Sel et poivre noir fraîchement moulu, au goût

Préchauffez le four à 345 °F (175 °C).
Dans une grande cocotte, faites chauffer de l'huile à feu moyen et mettez-y le porc à revenir, 4 min environ de chaque côté. Ajoutez le bacon et poursuivez la cuisson encore 2 min. Placez les viandes dans un saladier. Réservez.
Dans la même cocotte, faites revenir l'ail et les échalotes, 4 min environ ; l'échalote doit être tendre. Ajoutez ensuite les champignons émincés, le thym et le persil. Après 4 min de cuisson, ajoutez les viandes. Mouillez de vin rouge et remuez bien.
Transvasez dans un plat allant au four ou dans plusieurs cassolettes individuelles. Enfournez pour 1 h 30, à découvert. Sortez du four, mélangez bien. Salez et poivrez avant de servir.

Voir variantes p. 122

Polenta à la saucisse fumée

Pour 8 personnes

Cette préparation convient bien pour le déjeuner. Accompagnez-la de ratatouille ou de légumes grillés.

40 g (2 c. à s.) de beurre doux + un peu pour le plat
75 g (2 ½ oz) de pancetta, coupée en petits dés
275 g (½ lb) de saucisse fumée, pelée et émiettée
1,8 l (7 ½ tasses) d'eau
350 g (12 oz) de polenta
75 g (3 oz) de mozzarella, coupée en dés de 1 cm (⅓ po) de côté
50 g (½ tasse) de parmesan, fraîchement râpé

Préchauffez le four à 400 °F (200 °C).
Faites fondre un peu de beurre à feu doux et graissez-en un grand plat en terre cuite.
Dans une grande poêle à fond épais, faites fondre à feu moyennement vif 1 c. à s. de beurre et mettez-y la pancetta à revenir, 3 min environ ; elle doit être bien croustillante. Transvasez la pancetta et la graisse de cuisson dans un plat résistant à la chaleur.
Dans la même poêle, faites revenir la chair à saucisse, 8 min environ. Disposez-la sur un plat chemisé de papier absorbant. Réservez.
Dans une grande casserole à fond épais, portez l'eau à ébullition. Versez-y la polenta en pluie, en remuant constamment. Réduisez le feu et poursuivez la cuisson 20 min environ, sans cesser de remuer ; la polenta doit être relativement épaisse. Retirez la casserole du feu.
Incorporez à la préparation la pancetta et son jus de cuisson, la mozzarella en dés et le reste de beurre.
Versez le tout dans le plat beurré, disposez les saucisses par-dessus et parsemez de parmesan râpé. Enfournez 25 min, jusqu'à ce que la polenta soit prise.

Voir variantes p. 123

Daube de bœuf

Pour 4 à 6 personnes

Un délice que ce bœuf qu'on laisse mijoter plusieurs heures dans du bouillon, du vin, des légumes et des herbes aromatiques, afin qu'il s'imprègne de toutes ces saveurs.

2 c. à s. d'huile d'olive extravierge
2 gousses d'ail, finement émincées
900 g (2 lb) de jarret de bœuf à ragoût, désossé et coupé en dés de 5 cm (2 po) de côté
1 ½ c. à t. de sel
½ c. à t. de poivre noir fraîchement moulu
25 cl (1 tasse) de vin rouge corsé
450 g (2 ½ tasses) de carottes, coupées en dés
350 g (2 ⅓ tasses) d'oignons, finement émincés
10 cl (½ tasse) de consommé de bœuf
1 c. à s. de purée de tomates
¼ de c. à t. de romarin séché
¼ de c. à t. de thym séché
1 pincée de girofle en poudre
400 g (1 ½ tasses) de tomates entières en conserve, avec leur jus
1 feuille de laurier
900 g (6 tasses) de nouilles aux œufs

Préchauffez le four à 300 °F (150 °C).
Dans une grande cocotte en fonte, faites chauffer l'huile d'olive à feu moyen et mettez-y l'ail à dorer, 4 min environ. Réservez.
Dans la même cocotte, à feu plus vif, mettez le bœuf, préalablement assaisonné de ½ c. à t. de sel et de ¼ de c. à t. de poivre, à rissoler 4 min de chaque côté. Réservez.
Déglacez la cocotte avec le vin, en raclant bien le fond et les bords. Dès le premier bouillon, versez-y l'ail et la viande, salez et poivrez à votre goût, puis ajoutez tous les ingrédients, hormis les nouilles. Portez à ébullition, mélangez bien, puis couvrez et enfournez 2 h 30.
Préparez les nouilles selon les indications données sur le paquet, 10 min avant la fin de la cuisson. Sortez la cocotte du four. Ôtez le laurier. Servez les nouilles avec la daube.

Voir variantes p. 124

Veau parmigiana

Pour 4 personnes

Voici une recette simplifiée, mais non moins savoureuse, de ce plat italien très apprécié de tous, grands et petits.

25 g (2 c. à s.) de beurre doux, fondu
50 g (1/2 tasse) de parmesan, fraîchement râpé + 2 c. à s.
25 g (1/4 tasse) de farine tout usage
1/2 c. à t. de sel
1/4 de c. à t. de poivre noir fraîchement moulu
20 cl (7/8 tasse) de lait concentré
4 côtes de veau
225 g (7/8 tasse) de sauce tomate du commerce

Préchauffez le four à 345 °F (175 °C).
Graissez un plat de 20 cm (8 po) de côté allant au four avec le beurre fondu. Dans un petit saladier, mélangez 2 c. à s. de parmesan râpé, la farine, le sel et le poivre. Dans un plat creux, versez 8 cl (1/3 tasse) de lait concentré. Plongez-y les côtes de veau de manière à en enrober les deux faces. Farinez les morceaux de viande et disposez-les dans le plat, sans les faire se chevaucher. Enfournez 30 min.
Dans un autre saladier, mélangez le reste de lait concentré avec le reste de parmesan.
Sortez le veau du four. Versez de la sauce tomate autour des côtelettes, puis nappez le tout du mélange lait-parmesan. Renfournez 20 à 25 min. Le veau doit être rosé à cœur.

Voir variantes p. 125

Variantes

Porc braisé au fenouil

Recette de base p. 101

Porc braisé au fenouil et à la menthe
Suivez la recette de base, en remplaçant le thym par la même quantité de feuilles de menthe fraîche, finement ciselées.

Porc braisé au fenouil et aux pommes
Suivez la recette de base, en remplaçant les tomates par 225 g (2 tasses) de pommes, pelées et coupées en dés. Faites cuire 5 min, jusqu'à ce que les pommes soient tendres. Pour la suite, reportez-vous à la recette de base.

Porc braisé au fenouil et aux champignons
Suivez la recette de base, en ajoutant à la préparation au fenouil, au céleri et à l'oignon 225 g (3 tasses) de champignons de Paris émincés.

Porc braisé au fenouil et aux poivrons
Suivez la recette de base, en ajoutant à la préparation au fenouil, au céleri et à l'oignon 100 g (4 tasses) de poivrons verts, épépinés et coupés en fines lamelles.

Variantes

Ragoût d'agneau aux haricots verts

Recette de base p. 102

Ragoût d'agneau aux haricots verts et à la feta
Suivez la recette de base, en ajoutant à chaque portion de 2 c. à s. de feta émiettée.

Ragoût d'agneau au chou
Suivez la recette de base, en remplaçant les haricots verts par 450 g (6 tasses) de chou frisé, rincé et grossièrement émincé.

Ragoût d'agneau aux petits pois
Suivez la recette de base, sans les haricots verts. Ajoutez 450 g (2 ⅔ tasses) de petits pois frais 10 min avant la fin de la cuisson.

Ragoût d'agneau à la courgette
Suivez la recette de base, sans les haricots verts. Ajoutez à la préparation 450 g (3 ⅔ tasses) de courgette, coupée en dés, en même temps que l'ail.

Ragoût d'agneau aux haricots verts et aux pommes de terre
Suivez la recette de base, en ajoutant à la préparation 450 g (1 lb) de pommes de terre, pelées et coupées en dés, pendant la dernière heure de cuisson.

Variantes

Bœuf Strogonoff

Recette de base p. 105

Bœuf Strogonoff allégé
Suivez la recette de base, sans le beurre et en remplaçant la crème sure par 10 cl (1/2 tasse) de babeurre. Agrémentez chaque portion de 1 c. à s. de crème sure allégée.

Bœuf Strogonoff à la moutarde en grains
Suivez la recette de base, en ajoutant à la crème sure 2 c. à s. de moutarde en grains, avant de l'incorporer à la préparation au bœuf.

Poulet Strogonoff
Suivez la recette de base, en remplaçant la viande de bœuf par la même quantité de blanc de poulet, sans la peau.

Strogonoff de seitan
Suivez la recette de base, en remplaçant le bœuf par 450 g (1 lb) de seitan en tranches et en supprimant la farine. Salez et poivrez le seitan. Pour la suite, reportez-vous à la recette de base.

Bœuf Strogonoff au paprika fort
Suivez la recette de base, en remplaçant le paprika espagnol par la même quantité de paprika hongrois fort.

Variantes

Côtelettes braisées au chou

Recette de base p. 106

Côtelettes braisées au chou et au cumin
Suivez la recette de base, en ajoutant à la préparation 1 c. à t. de graines de cumin, en même temps que la feuille de laurier et le thym.

Côtelettes braisées au chou et au genièvre
Suivez la recette de base, en ajoutant à la préparation 4 à 6 baies de genièvre, en même temps que la feuille de laurier et le thym.

Côtelettes braisées au chou et au crémant
Suivez la recette de base, en remplaçant le vin blanc sec par du crémant.

Côtelettes braisées au chou et au jambon
Suivez la recette de base, en ajoutant 450 g (1 lb) de jambon fumé dans la cocotte, en même temps que le porc et les saucisses.

Côtelettes braisées au chou et aux pommes de terre nouvelles
Suivez la recette de base, en ajoutant 450 g (1 lb) de pommes de terre nouvelles coupées en deux dans la cocotte, en même temps que le porc et les saucisses.

Variantes

Enchilada de bœuf

Recette de base p. 108

Enchilada de poulet
Suivez la recette de base, sans la farce au bœuf. Dans une poêle antiadhésive, faites revenir 4 blancs de poulet sans peau, 10 à 12 min. Ajoutez 1 oignon émincé, 20 cl (7/8 tasse) de crème sure, 100 g (1 tasse) de cheddar râpé et ½ c. à t. d'origan séché. Laissez mijoter à couvert, en remuant souvent, jusqu'à ce que le fromage ait fondu. Ajoutez 225 g (1 tasse) de sauce et 1 ½ c. à t. de piment en poudre.

Enchilada de fromage
Suivez la recette de base, en remplaçant la farce au bœuf par un mélange de 450 g (4 ½ tasses) de cheddar râpé, 1 oignon finement émincé, 1 c. à t. d'origan séché et 3 c. à s. d'olives noires dénoyautées et émincées.

Enchilada de purée de haricots rouges
Suivez la recette de base, en remplaçant la farce au bœuf par un mélange de 450 g (1 lb) de purée de haricots, 225 g (8 oz) de fromage blanc et 100 g (1 tasse) de cheddar râpé.

Enchilada de dinde
Suivez la recette de base, en remplaçant le bœuf haché par de la dinde hachée.

Enchilada de bœuf à la coriandre
Suivez la recette de base, en ajoutant à la préparation 50 g (3/4 tasse) de feuilles de coriandre finement ciselées, juste avant de servir.

Variantes

Filet mignon forestière

Recette de base p. 110

Filet mignon forestière au vin blanc
Suivez la recette de base, en remplaçant le vin rouge par le même volume de vin blanc.

Filet mignon aux champignons sauvages
Suivez la recette de base, en remplaçant les champignons de Paris par la même quantité de champignons sauvages (morilles, chanterelles et cèpes).

Filet mignon forestière aux truffes
Suivez la recette de base, en ajoutant 2 c. à s. d'huile de truffe à l'huile végétale, avant d'y faire revenir l'ail et les échalotes. Remplacez le vin rouge par la même quantité de vin blanc.

Filet mignon forestière aux papardelle
Suivez la recette de base. Accompagnez chaque portion de 100 g (1 tasse) de papardelle, cuites selon les indications du fabricant.

Variantes

Polenta à la saucisse fumée

Recette de base p. 113

Polenta à la saucisse fumée et aux olives
Suivez la recette de base, en ajoutant au mélange polenta-saucisse 100 g (½ tasse) d'olives noires dénoyautées et hachées.

Polenta à la saucisse fumée et à l'asiago
Suivez la recette de base, en remplaçant la mozzarella par la même quantité d'asiago, coupé en dés.

Polenta à la saucisse fumée et aux poivrons rouges
Suivez la recette de base, en ajoutant au mélange polenta-saucisse 100 g (⅔ tasse) de poivrons rouges en conserve, égouttés et coupés en lamelles.

Polenta à la saucisse fumée et au basilic
Suivez la recette de base, en ajoutant au mélange polenta-saucisse 8 feuilles de basilic frais, finement ciselées.

Variantes

Daube de bœuf

Recette de base p. 114

Daube de bœuf aux panais
Suivez la recette de base, en ajoutant aux carottes 2 panais, pelés et coupés en dés.

Daube de bœuf aux pommes de terre rouges
Suivez la recette de base, en ajoutant à la préparation 500 g (1 lb) de pommes de terre rouges, pelées et coupées en quartiers, 1 h avant la fin de la cuisson. Supprimez les nouilles aux œufs, si vous le désirez.

Daube de bœuf aux échalotes
Suivez la recette de base, en remplaçant les oignons par 6 à 8 échalotes.

Daube de bœuf au zeste d'orange
Suivez la recette de base, en ajoutant au vin rouge 2 c. à s. de zeste d'orange, fraîchement râpé.

Variantes

Veau parmigiana

Recette de base p. 116

Poulet parmigiana
Suivez la recette de base, en remplaçant le veau par 4 blancs de poulet, sans la peau.

Aubergines parmigiana
Suivez la recette de base, en remplaçant le veau par 2 aubergines de taille moyenne, pelées et coupées en tranches de 5 mm (1/4 po) d'épaisseur.

Veau parmigiana à la mozzarella
Suivez la recette de base, en utilisant seulement 10 cl (1/2 tasse) de lait concentré. Supprimez le mélange lait concentré-parmesan. Avant d'enfourner, couvrez le veau de 8 tranches de mozzarella et saupoudrez de parmesan.

Veau parmigiana en croûte aux herbes
Suivez la recette de base, en ajoutant une étape après avoir fariné la viande. Dans un plat creux, mélangez 2 œufs et 1 c. à t. d'eau. Dans un autre plat creux, mélangez 175 g (1 3/4 tasse) de chapelure, 50 g (1/2 tasse) de parmesan râpé, 1 c. à s. de basilic ciselé et autant de persil plat ciselé. Passez les morceaux de viande farinée dans la mixture aux œufs, puis dans la chapelure aux herbes. Pour la suite, reportez-vous à la recette de base.

Volailles

Une sorte de magie opère quand une volaille mijote et absorbe les sucs et les saveurs des ingrédients dont on l'agrémente. La viande ainsi préparée est toujours incroyablement moelleuse et savoureuse. Que vous ayez des restes à accommoder ou que vous soyez en quête d'idées originales, les recettes qui suivent vous ouvriront des horizons nouveaux.

Poulet chasseur

Pour 4 à 6 personnes

Ce grand classique, qui n'en est que meilleur préparé la veille, est le plat idéal pour le week-end. Accompagnez-le de pâtes, de riz ou d'une purée de pommes de terre.

2 c. à t. de sel
1 c. à t. d'ail semoule lyophilisé
2 c. à t. de basilic séché
1 c. à t. de thym séché
1 c. à t. d'origan séché
½ c. à t. de Poivre noir fraîchement moulu
1 pincée de piment de Cayenne
900 g (2 lb) de blanc de poulet, sans la peau, coupé en lamelles de 1 cm (⅓ po) d'épaisseur
2 c. à s. d'huile d'olive extravierge
1 oignon moyen, finement émincé
1 gousse d'ail, finement émincée
1 poivron vert moyen, coupé en julienne
400 g (1 ½ tasse) de tomates entières en conserve
2 c. à s. de purée de tomates
10 cl (½ tasse) de vin rouge
25 cl (1 tasse) de fond de volaille

Dans un petit saladier, mélangez le sel, l'ail, les herbes et les épices. Enduisez le poulet de la moitié de ce mélange.
Dans une grande poêle à fond épais, faites chauffer l'huile à feu moyen et mettez-y les morceaux de poulet à dorer. Réservez dans un plat.
Dans la même poêle, à feu plus doux, faites revenir les oignons, 4 min environ. Ajoutez l'ail et le poivron. Poursuivez la cuisson 5 min. Incorporez le reste du mélange épicé à la préparation et mélangez de façon à bien en enduire la viande. Ajoutez les tomates légèrement concassées, la purée de tomates, le vin rouge et le fond de volaille. Mélangez et portez à ébullition.
Dès le premier bouillon, remettez les morceaux de poulet dans la poêle. Laissez mijoter 25 min environ, le temps que la sauce épaississe et que le poulet soit moelleux.

Voir variantes p. 143

Korma de poulet

Pour 4 à 6 personnes

Plus longtemps vous laisserez mariner le poulet, plus tendre il sera. Le massalé, une épice très utilisée dans la cuisine indienne, est disponible dans la plupart des supermarchés, ainsi que dans les épiceries indiennes ou exotiques.

900 g (2 lb) de blanc de poulet, sans la peau, coupé en dés
350 g (1 1/3 tasse) de yogourt nature
4 c. à s. d'huile de maïs
225 g (1 1/3 tasse) d'oignons, finement émincés
1 gousse d'ail, finement émincée
1 c. à t. de gingembre frais, râpé
1 c. à t. de cardamome en poudre
1/2 c. à t. de cumin en poudre
1 c. à t. de piment en poudre
1 c. à t. de massalé
1 c. à s. de coriandre en poudre
Sel et poivre noir fraîchement moulu, au goût
10 cl (1/2 tasse) de lait de coco

Dans un saladier de taille moyenne, mettez le poulet à mariner dans le yogourt, en prenant soin de bien enduire tous les morceaux. Couvrez de film alimentaire et réservez au frais, 1 h au moins et 12 h au plus.

Dans une grande poêle, faites chauffer l'huile à feu moyen et mettez-y les oignons à revenir 6 à 8 min ; ils doivent être bien dorés. Ajoutez l'ail et le gingembre, et poursuivez la cuisson 1 min. Ajoutez alors toutes les épices et le yogourt. Lorsque le liquide est presque totalement évaporé, mettez le poulet dans la cocotte. Faites-le revenir et veillez à ce qu'il soit bien doré. Mouillez ensuite avec le lait de coco, couvrez et réduisez le feu au minimum. Laissez mijoter 10 à 12 min ; la viande doit être cuite à cœur et moelleuse.

Voir variantes p. 144

Poulet aux quenelles

Pour 4 à 6 personnes

Ce ragoût de poulet fera un excellent plat unique si vous l'agrémentez de quenelles.

25 g (1/4 tasse) de farine tout usage
Sel et poivre noir fraîchement moulu, au goût
1,2 kg (2 1/2 tasses) de cuisses de poulet, sans la peau, coupées en dés de 4 cm (1 1/2 po) de côté
2 c. à s. d'huile d'olive extravierge
1 oignon moyen, coupé en huit
2 carottes, coupées en gros tronçons
2 branches de céleri, coupées en gros tronçons
1 feuille de laurier
1 l (4 tasses) de fond de volaille
175 g (1 1/2 tasse) de farine
2 c. à t. de levure chimique
100 g (3 1/2 oz) de polenta
1 c. à s. de sucre semoule
1 c. à t. de sel
40 cl (1 2/3 tasse) de crème 15 %
2 c. à s. de persil plat, finement ciselé

Dans un plat creux, mélangez la farine, le sel et le poivre. Farinez le poulet. Réservez.
Dans une grande cocotte en fonte, faites chauffer l'huile à feu moyen et mettez-y les morceaux de poulet à revenir, 2 min de chaque côté. Disposez-les dans un plat et réservez.
Dans la même cocotte, faites revenir oignons, carottes, céleri et laurier 2 min environ. Salez et poivrez. Mouillez de fond de volaille et portez à ébullition. Au premier bouillon, réduisez le feu, remettez les morceaux de poulet dans la cocotte et laissez mijoter 15 min.
Dans un grand saladier, mélangez la farine, la levure, la polenta, le sucre et le sel. Ajoutez la crème et battez jusqu'à obtention d'une consistance homogène.
Sortez le laurier de la cocotte. Déposez de petites cuillerées de la préparation précédente à la surface de la sauce du poulet. Laissez cuire à découvert 10 min environ. Couvrez, puis poursuivez la cuisson 10 min. Servez dans des cassolettes, après avoir parsemé de persil.

Voir variantes p. 145

Poulet aux poireaux

Pour 4 à 6 personnes

Facile et rapide à préparer, ce poulet exhale des arômes qui vous feront littéralement saliver. Un plat idéal par temps de pluie.

1 poulet entier (1,4 à 1,8 kg ou 3 à 4 lb)
½ citron
3 poireaux, lavés et coupés en rondelles
60 cl (2 ½ tasses) de fond de volaille (facultatif)
50 g (3 c. à s.) de beurre doux, fondu
2 c. à s. de persil plat, finement ciselé
1 pincée d'estragon séché (ou 1 c. à t. d'estragon frais, ciselé)
Sel et poivre noir fraîchement moulu, au goût

Préchauffez le four à 300 °F (150 °C).
Nettoyez la volaille et épongez-la avec du papier absorbant, après l'avoir débarrassée du foie et du gésier. Frottez-la (intérieur et extérieur) avec le citron, en pressant un peu pour extraire le jus. Laissez le citron à l'intérieur du poulet.
Dans une grande cocotte en fonte, disposez le poulet entouré des poireaux. Si vous souhaitez une viande plus moelleuse, mouillez le tout avec le fond de volaille. Badigeonnez le poulet de beurre fondu. Parsemez-le de persil et d'estragon ; salez et poivrez. Insérez un thermomètre de cuisson dans la partie la plus charnue de la cuisse, en évitant le contact avec l'os. Couvrez la cocotte et laissez mijoter au four 1 h 30 à 2 h. Le thermomètre doit afficher 180 °F (82 °C), et il ne doit pas sortir de jus rose d'une entaille à la cuisse.
Réservez 15 min avant de découper et de servir. Accompagnez le poulet des poireaux et du jus de cuisson.

Voir variantes p. 146

Tourte au poulet

Pour 4 personnes

Voici une excellente manière de recycler généreusement des restes de poulet rôti.

1 grosse pomme de terre, pelée et coupée en dés
2 carottes, pelées et coupées en tronçons
25 g (2 c. à s.) de beurre doux
1 cube de bouillon de volaille
2 c. à s. de farine tout usage
50 cl (2 tasses) de lait entier
100 g (5/8 tasse) de petits pois surgelés
450 g (1 lb) de poulet cuit, en petits morceaux
Poivre noir fraîchement moulu, au goût
Pâte à tarte (23 cm ou 9 po de diamètre)

Préchauffez le four à 375 °F (190 °C).
Dans une casserole, faites bouillir les pommes de terre et les carottes, 5 à 10 min ; elles doivent être tendres, mais fermes. Égouttez et réservez. Faites fondre le beurre avec le bouillon cube émietté. Ajoutez la farine et mélangez jusqu'à obtention d'une consistance lisse. Continuez de remuer 1 min environ, puis retirez du feu.
Ajoutez le lait, en fouettant, puis portez à ébullition, en remuant, jusqu'à épaississement. Retirez du feu 10 min après le premier bouillon. Incorporez les légumes cuits à l'eau, les petits pois et le poulet, et poivrez.
Beurrez le plat à tarte et versez-y la préparation. Humectez le bord du plat avec de l'eau. Couvrez de la pâte, en appuyant sur les bords. Enroulez joliment la pâte sur le pourtour du plat. Ménagez 4 à 6 cheminées, pour permettre à la vapeur de s'échapper. Enfournez 30 min.
Pour des tourtes individuelles : graissez légèrement 6 ramequins, que vous remplirez de 50 à 90 g (2 à 3 oz) de préparation au poulet. Abaissez la pâte sur 0,5 cm (1/4 po) d'épaisseur et, à l'aide d'un emporte-pièce, découpez-y des disques de 7,5 cm (3 po) de diamètre. Recouvrez les ramequins des disques de pâte, que vous badigeonnerez d'un œuf battu. Ménagez 1 ou 2 cheminées dans chaque disque, pour permettre à la vapeur de s'échapper.

Voir variantes p. 147

Dinde en gougère

Pour 2 ou 3 personnes

La gougère est une pâte à choux que l'on peut garnir de farces diverses, pourvu qu'elles soient savoureuses ! Cette recette accommode élégamment des restes de dinde.

40 g (3 c. à s.) de beurre doux
100 g (3/4 tasse) de farine
45 cl (1 3/4 tasse) de lait entier
2 c. à s. de câpres
1/4 de c. à t. de sauge séchée
1 pincée de noix muscade
450 g (1 lb) de dinde, coupée en dés
Sel et poivre noir fraîchement moulu, au goût
50 g (4 c. à s.) de beurre doux, fondu
10 cl (1/2 tasse) d'eau
1 œuf (gros), légèrement battu

Préchauffez le four à 375 °F (190 °C).
Dans une casserole de taille moyenne, faites fondre le beurre. Ajoutez la farine, mélangez jusqu'à obtention d'une consistance lisse, puis retirez du feu. Versez le lait, en fouettant, et portez à ébullition, sans cesser de remuer, jusqu'à épaississement. Retirez du feu 5 min après le premier bouillon. Incorporez les câpres, la sauge, la muscade et la dinde. Salez et poivrez.
Dans une grande casserole, portez le beurre et l'eau à ébullition. Versez-y en pluie la farine additionnée d'une pincée de sel et mélangez au fouet jusqu'à obtention d'une consistance lisse. Continuez de mélanger avec une cuillère en bois jusqu'à ce que la pâte se détache des parois. Incorporez l'œuf et continuez de remuer jusqu'à obtention d'un mélange homogène.
Versez la préparation dans un plat allant au four et ne dépassant pas 5 cm (2 po) de profondeur, ou répartissez-la dans des cassolettes individuelles. À l'aide d'une spatule, étalez la pâte sur le fond et les côtés du (ou des) plat(s). Versez la préparation à la dinde au centre et rabattez légèrement la pâte à l'aide d'une fourchette. Enfournez 30 à 40 min. Servez sans attendre.

Voir variantes p. 148

Canard créole

Pour 6 personnes

Ce savoureux plat de canard épicé, typique de la cuisine malgache, s'accompagne de riz.

2 canards, de 1,8 kg (4 lb) chacun, coupés en morceaux
1 c. à s. d'huile d'olive extravierge
Sel
100 g (2/3 tasse) d'oignons, finement émincés
2 gousses d'ail, finement émincées
2 c. à s. d'eau
4 poivrons rouges
4 clous de girofle
1 c. à t. de curcuma en poudre
1 pincée de noix muscade
1 pincée de cannelle en poudre
1 c. à s. de gingembre, finement haché
1 c. à s. de farine
400 g (1 1/2 tasse) de tomates entières en conserve
5 cl (1/4 tasse) de vin rouge

Dégraissez les canards au maximum (enlevez, si possible, une partie de la graisse entre la peau et la chair) et piquez-en la peau avec la pointe d'un couteau.
Dans une grande poêle à fond épais, faites chauffer l'huile à feu moyen et mettez-y – en plusieurs fois – les morceaux de canard à rissoler, 2 min environ de chaque côté. Lorsque la viande est bien dorée, disposez-la dans une grande cocotte en fonte. Réservez 2 c. à s. de graisse dans la poêle (jetez le reste ou réservez-le à un autre usage). Faites-y revenir les oignons, l'ail, les poivrons, les clous de girofle, le curcuma, la noix muscade, la cannelle et le gingembre. Mélangez bien et laissez cuire à couvert, à feu doux, 10 min environ. Saupoudrez ensuite la préparation de farine. Rajoutez-y les tomates légèrement concassées, avec leur jus, et laissez mijoter le tout. Après 15 min de cuisson, mouillez de vin rouge et portez le tout à ébullition. Au premier bouillon, versez l'ensemble dans la cocotte en fonte, couvrez bien et laissez mijoter 2 h environ ; le canard doit être tendre. Enlevez le gras à la surface, à l'aide d'une écumoire, avant de servir.

Voir variantes p. 149

Cailles au fenouil

Pour 2 personnes en plat principal et pour 4 personnes en entrée

Voici un plat simple, mais délicieux, qui mêle subtilement les saveurs de la caille et du fenouil.

4 cailles entières (poids total de 700 g ou 1 1/2 lb)
1 1/2 c. à t. de sel
3/4 de c. à t. de Poivre noir fraîchement moulu
2 c. à s. d'huile d'olive extravierge
2 bulbes de fenouil, débarrassés de leur tige et coupés en gros dés
100 g (2/3 tasse) d'oignons rouges, finement émincés
1 gousse d'ail, finement émincée
1 branche de citronnelle, finement ciselée
1 bâton de cannelle
25 cl (1 tasse) de vin blanc sec

Préchauffez le four à 345 °F (175 °C).
Frottez les cailles d'un mélange de 1/2 c. à t. de sel et 1/4 de c. à t. de poivre.
Dans une grande poêle à fond épais, faites chauffer l'huile à feu moyen et mettez-y les cailles à dorer sur le ventre 3 à 4 min. Réservez dans un plat.
Dans la même poêle, faites revenir le fenouil, les oignons rouges et l'ail, 7 min environ. Assaisonnez du reste de sel et de poivre. Les légumes doivent être tendres. Ajoutez ensuite la citronnelle, la cannelle et le vin. Couvrez et portez à ébullition. Transvasez la préparation dans une grande cocotte en fonte munie d'un couvercle et enfournez. Après 20 min de cuisson, disposez les cailles sur les légumes (poitrine sur le dessus), puis enfournez 20 min encore. Sortez la cocotte du four, soulevez doucement le couvercle pour permettre à l'eau de condensation de retomber dans le plat, puis arrosez les cailles du jus de cuisson. Réservez 20 min environ avant de servir.

Voir variantes p. 150

Cailles braisées au chou chinois

Pour 4 personnes

Un plat très aromatique, où le chou chinois met en valeur la sauce au porto et au curry.

8 cailles (poids total de 1,4 kg ou 3 lb)
Sel et poivre noir fraîchement moulu
8 c. à s. de zeste de citron, râpé
4 c. à s. d'huile d'olive extravierge
225 g (1 1/3 tasse) d'oignons, finement émincés
1 carotte, coupée en gros tronçons
1 pincée de noix muscade
1/2 c. à t. de curcuma en poudre
1/2 c. à t. de cumin en poudre
1/2 c. à t. de coriandre en poudre
1 feuille de laurier
1/2 c. à t. de romarin séché
10 cl (1/4 tasse) de fond de volaille
10 cl (1/4 tasse) de porto
4 jeunes choux chinois, lavés, coupés à la base puis en deux

Salez et poivrez les cailles. Farcissez chacune de 1 c. à t. de zeste de citron râpé.
Dans une grande cocotte en fonte, faites chauffer l'huile et mettez-y les cailles à revenir, 20 min environ ; elles doivent être bien dorées. Disposez-les dans un plat et réservez.
Dans la même cocotte, faites revenir l'oignon, le reste de zeste de citron et les carottes 5 min environ ; l'oignon doit être translucide. Remettez les cailles dans la cocotte, sur le dos.
Dans un bol, mélangez la muscade, le curcuma, le cumin et la coriandre. Saupoudrez les cailles et les légumes de ces épices. Ajoutez le laurier et le romarin, puis mouillez le tout de fond de volaille et de porto. Couvrez et laissez mijoter 40 min. Découvrez la cocotte toutes les 10 min, pour que l'eau de condensation retombe dans la préparation et arrose la viande. Ôtez un éventuel excès de gras avec une écumoire, si nécessaire.
Dans une casserole, faites cuire le chou dans un grand volume d'eau, 5 à 7 min ; il doit être tendre. Égouttez et arrosez de jus de cuisson, ainsi que les cailles, avant de servir.

Voir variantes p. 151

Variantes

Poulet chasseur

Recette de base p. 127

Poulet chasseur aux champignons
Suivez la recette de base, en faisant revenir l'ail et les poivrons verts avec 225 g (3 ½ tasses) de champignons.

Poulet chasseur épicé
Suivez la recette de base, en ajoutant à la préparation ½ c. à t. de piment de Cayenne et ½ c. à t. de copeaux de piments rouges, avant d'y replonger les morceaux de poulet.

Poulet chasseur entier
Suivez la recette de base, en remplaçant les lamelles de poulet par un poulet de 1,4 à 1,6 kg (3 à 3 ½ lb), coupé en 8 morceaux. Enlevez l'excès de gras juste avant de servir.

Poulet chasseur aux câpres
Suivez la recette de base, en ajoutant à la préparation 2 c. à s. de câpres, avant d'y replonger les morceaux de poulet.

Poulet chasseur à la polenta
Suivez la recette de base, en servant chaque portion sur un lit de polenta. Portez à ébullition 1 l (4 tasses) d'eau et ¼ de c. à t. de sel. Incorporez-y la polenta en fouettant. Réduisez le feu, ajoutez 4 c. à s. de beurre doux et laissez cuire 30 min environ, en remuant régulièrement. Incorporez 50 g (½ tasse) de parmesan râpé et servez aussitôt.

Variantes

Korma de poulet

Recette de base p. 128

Korma de poulet aux amandes
Suivez la recette de base, en ajoutant à la préparation 2 c. à s. d'amandes émondées et moulues, après évaporation du lait de coco.

Korma de poulet à la coriandre
Suivez la recette de base, en parsemant la préparation de 25 g (1/3 tasse) de coriandre fraîchement ciselée, juste avant de servir.

Korma de bœuf
Suivez la recette de base, en remplaçant le poulet par la même quantité de jarret de bœuf, désossé.

Korma d'agneau
Suivez la recette de base, en remplaçant le poulet par la même quantité d'épaule d'agneau, désossée et coupée en dés de 4 cm (1 1/2 po) de côté.

Korma de poulet à la tomate
Suivez la recette de base, en ajoutant à la préparation 3 tomates, pelées et épépinées, après y avoir incorporé le yogourt et les épices.

Variantes

Poulet aux quenelles

Recette de base p. 131

Poulet aux quenelles et aux champignons
Suivez la recette de base, en ajoutant aux légumes 225 g (3 tasses) de champignons.

Poulet aux quenelles et aux petits pois
Suivez la recette de base, en ajoutant à la préparation 225 g (1 ⅓ tasse) de petits pois (frais ou surgelés), après y avoir incorporé la crème.

Dinde aux quenelles
Suivez la recette de base, en remplaçant le poulet par du blanc de dinde.

Poulet aux quenelles minute
Suivez la recette de base, sans la préparation des quenelles. Remplacez la farine, la levure chimique, la polenta, le sucre, le sel et la crème par 550 g (20 oz) de pâte à scones et 20 cl (⅞ tasse) de lait. Mélangez jusqu'à obtention d'une pâte homogène. Pour la suite, reportez-vous à la recette de base.

Poulet aux quenelles et au bacon
Suivez la recette de base, en commençant par faire revenir 4 ou 5 tranches de bacon coupées en dés dans la cocotte. Réservez. Conservez 2 c. à s. du jus de cuisson (jetez le reste) que vous utiliserez en lieu et place de l'huile d'olive. Pour la suite, reportez-vous à la recette de base. Incorporez le bacon revenu à la préparation en même temps que les morceaux de poulet.

Variantes

Poulet aux poireaux

Recette de base p. 132

Poulet aux poireaux et aux saucisses fumées
Suivez la recette de base, en ajoutant aux poireaux 4 à 6 saucisses fumées.

Poulet au fenouil
Suivez la recette de base, en remplaçant les poireaux par 3 bulbes de fenouil, lavés, coupés à la base et en deux dans la longueur.

Poulet aux poireaux et aux pommes de terre
Suivez la recette de base, en ajoutant à la préparation 900 g (2 lb) de pommes de terre nouvelles bien brossées, 40 min avant la fin de la cuisson.

Poulet aux poireaux et au thym
Suivez la recette de base, en remplaçant l'estragon par 2 brins de thym frais.

Poulet aux poireaux et aux carottes
Suivez la recette de base, en ajoutant à la préparation 4 ou 5 carottes coupées en gros tronçons, 30 min avant la fin de la cuisson.

Variantes

Tourte au poulet

Recette de base p. 135

Tourte à la dinde
Suivez la recette de base, en remplaçant le poulet cuit par de la dinde cuite.

Tourte au saumon
Suivez la recette de base, en remplaçant le bouillon de poulet par du court-bouillon. Remplacez le poulet cuit par 450 g (2 tasses) de saumon cuit et émietté.

Tourte au poulet minute
Au lieu de suivre la recette de base, mélangez à feu moyen 1 boîte de concentré de champignons et 25 cl (1 tasse) de lait entier. Incorporez-y 450 g (2 tasses) de poulet cuit et 450 g (2 tasses) d'un mélange de légumes surgelés. Salez et poivrez. Versez le tout dans un plat de 23 cm (9 po) de diamètre préalablement beurré. Recouvrez d'un disque de pâte à tarte, dont vous enroulerez joliment les bords. Ménagez 4 à 6 cheminées pour permettre à la vapeur de s'échapper. Enfournez 30 min à 375 °F (190 °C).

Tourte au poulet et au bacon
Suivez la recette de base, en ajoutant à la préparation 6 tranches de bacon frit et émietté et 1 c. à t. d'origan séché, en même temps que le poulet cuit.

Tourte au poulet et aux poireaux
Suivez la recette de base, en ajoutant aux pommes de terre et aux carottes 3 poireaux moyens émincés. Agrémentez la garniture de 1 c. à s. de thym frais.

Variantes

Dinde en gougère

Recette de base p. 136

Poulet en gougère
Suivez la recette de base, en remplaçant la dinde cuite par la même quantité de poulet cuit.

Dinde en gougère aux petits pois
Suivez la recette de base, en ajoutant à la préparation 100 g (5/8 tasse) de petits pois surgelés ou en conserve en même temps que les câpres.

Dinde en gougère minute
Suivez la recette de base, en remplaçant la pâte maison par de la pâte du commerce. Abaissez-la en un disque de même diamètre que le plat que vous utilisez. Disposez la garniture sur la pâte, en laissant un bord de 2,5 cm (1 po). Pour la suite, reportez-vous à la recette de base.

Dinde en gougère aux airelles
Suivez la recette de base, en ajoutant à la dinde cuite 100 g (3/4 tasse) d'airelles cuites ou fraîches.

Variantes

Canard créole

Recette de base p. 139

Canard créole aux poivrons verts
Suivez la recette de base, en faisant revenir 100 g (4 tasses) de poivrons verts coupés en lamelles avec les oignons et l'ail.

Canard créole au macis
Suivez la recette de base, en ajoutant à la cannelle et à la noix muscade ¼ de c. à t. de macis en poudre.

Canard créole à la pancetta
Faites frire 175 g (6 oz) de pancetta coupée en dés ; elle doit être croustillante. Suivez la recette de base et ajoutez la pancetta dans la cocotte avant d'y faire dorer le canard.

Canard créole à l'orange
Suivez la recette de base, en ajoutant aux tomates le jus et le reste de ½ orange.

Variantes

Cailles au fenouil

Recette de base p. 140

Cailles au fenouil et aux raisins secs
Suivez la recette de base, en ajoutant à la préparation 50 g (⅓ tasse) de raisins secs, en même temps que le vin.

Pigeonneaux au fenouil
Suivez la recette de base, en remplaçant les cailles par des pigeonneaux.

Perdrix au fenouil
Suivez la recette de base, en remplaçant les cailles par de la perdrix.

Cailles au fenouil et aux olives
Suivez la recette de base et garnissez chaque caille de 2 c. à s. d'olives finement émincées.

Variantes

Cailles braisées au chou chinois

Recette de base p. 142

Cailles braisées au chou chinois et aux échalotes
Suivez la recette de base, en remplaçant les oignons par 4 à 6 échalotes pelées.

Cailles braisées au chou chinois et aux raisins secs
Suivez la recette de base, en ajoutant à la préparation 50 g (1/3 tasse) de raisins secs préalablement mis à tremper 30 min dans le porto, en même temps que le vin.

Cailles braisées au chou chinois et aux abricots
Suivez la recette de base, en ajoutant à la préparation 8 abricots secs préalablement mis à tremper 30 min dans le porto. Disposez 1 abricot sur chaque caille, avant d'ajouter la feuille de laurier.

Cailles braisées aux poireaux
Suivez la recette de base, sans le chou chinois. Parez et coupez en fine julienne 3 ou 4 poireaux que vous ferez cuire 4 à 5 min dans un grand volume d'eau bouillante. Les légumes doivent être tendres. Servez en accompagnement des cailles.

Poissons et fruits de mer

Poissons et fruits de mer font des mijotés absolument délicieux, qu'il s'agisse de plats relativement rustiques, fleurant bon l'air marin, de grands classiques, souvent plus complexes, ou encore de préparations légères, subtilement parfumées, plus innovantes. Pour un meilleur résultat, utilisez des ingrédients très frais.

Gratin de macaronis au thon

Pour 4 à 6 personnes

Notre version revisitée de ce grand classique remplace la traditionnelle crème de champignons par une délicieuse sauce maison, dont nous vous livrons le secret.

50 g (4 c. à s.) de beurre doux
25 g (1/4 tasse) de farine tout usage
35 cl (1 1/3 tasse) de lait entier
175 g (1 3/4 tasse) de cheddar, râpé
Sel et poivre noir fraîchement moulu, au goût
2 boîtes de thon, égoutté et émietté
700 g (6 tasses) de macaronis
225 g (1 1/3 tasse) de petits pois surgelés
50 g (1/2 tasse) de chapelure

Préchauffez le four à 375 °F (190 °C).

Dans une petite casserole, faites fondre le beurre à feu doux. Ajoutez-y la farine, en remuant constamment jusqu'à obtention d'un mélange lisse, puis retirez du feu.

Incorporez ensuite le lait, en fouettant, puis replacez la casserole sur le feu. Portez le tout à ébullition, sans cesser de remuer jusqu'à épaississement. Retirez du feu 5 min après le premier bouillon. Ajoutez encore 150 g (1 1/2 tasse) de cheddar râpé et remuez jusqu'à obtention d'un mélange homogène ; le fromage doit être fondu. Salez et poivrez à votre convenance. Incorporez le thon, puis réservez.

Dans une casserole, faites cuire les macaronis dans un grand volume d'eau salée, en suivant les indications du paquet. Les pâtes doivent être *al dente*. Ajoutez les petits pois surgelés pendant la dernière minute de cuisson. Égouttez soigneusement, puis mélangez à la préparation au thon.

Transvasez le tout dans un grand plat allant au four préalablement beurré. Lissez le dessus et parsemez de chapelure ainsi que du reste de fromage. Enfournez 25 min.

Voir variantes p. 169

Morue aux pommes de terre

Pour 4 à 6 personnes

La préparation de cette savoureuse spécialité portugaise doit être prévue à l'avance, la morue devant être dessalée la veille.

450 g (1 lb) de morue séchée, débarrassée de sa peau
4 pommes de terre rouges, pelées et coupées en deux
2 c. à s. d'huile d'olive extravierge
1 gros oignon blanc, finement émincé
25 g (2 c. à s.) de beurre doux
25 g (1/4 tasse) de farine tout usage
35 cl (1 1/3 tasse) de lait entier
Sel et poivre noir fraîchement moulu, au goût
1 pincée de piment de Cayenne
25 g (1/3 tasse) de persil plat, finement ciselé
100 g (1 tasse) de gruyère, râpé

Rincez soigneusement la morue, disposez-la dans un saladier et recouvrez-la d'eau froide. Couvrez de film alimentaire et placez au frais 24 h, en changeant l'eau toutes les 3 ou 4 h. Égouttez la morue, rincez-la bien, puis épongez-la avec du papier absorbant. Mettez-la dans une grande casserole et recouvrez-la d'eau. Portez à ébullition à feu moyen, puis réduisez le feu. Poursuivez la cuisson 4 à 5 min. Égouttez et épongez la morue, puis effilochez-la, en prenant soin d'enlever d'éventuelles arêtes. Réservez dans un grand saladier.
Préchauffez le four à 345 °F (175 °C).
Dans une casserole, faites cuire les pommes de terre dans un grand volume d'eau bouillante salée, environ 15 min ; elles doivent être tendres. Égouttez-les et découpez-les en fines tranches. Mélangez-les délicatement à la morue.
Dans une grande poêle à fond épais, faites chauffer l'huile d'olive et mettez-y les oignons à revenir 7 min ; ils doivent être bien dorés. Ajoutez-les au mélange précédent.
Dans une petite casserole, faites fondre le beurre à feu doux. Ajoutez-y la farine, en remuant constamment jusqu'à obtention d'un mélange lisse, puis retirez du feu.

Ajoutez ensuite le lait, en fouettant bien, puis replacez la casserole sur le feu. Portez le tout à ébullition, sans cesser de remuer jusqu'à obtention d'une consistance épaisse. Retirez du feu 5 min après le premier bouillon. Salez et poivrez. Ajoutez encore le piment de Cayenne, puis incorporez délicatement cette préparation à la morue et aux pommes de terre. Transvasez le tout dans un plat allant au four de taille moyenne. Parsemez de persil et de fromage. Enfournez 35 à 40 min ; la préparation doit être bien dorée sur le dessus.

Voir variantes p. 170

Pain de saumon au four

Pour 4 personnes

Un plat convivial qui constitue en outre une excellente manière de faire le plein d'oméga-3.

350 g (12 oz) de saumon, poché et émietté
175 g (1 3/4 tasse) de chapelure croustillante
100 g (2/3 tasse) de céleri, coupé en petits dés
2 gousses d'ail, finement émincées
1 gros oignon, finement émincé
1 poivron jaune, épépiné et émincé
50 g (3/4 tasse) de persil plat, finement ciselé
1/4 de c. à t. de thym séché
Sel et poivre noir fraîchement moulu, au goût
75 g (1/3 tasse) de beurre doux, fondu + 25 g (1/8 tasse) non fondu
2 œufs, légèrement battus

Préchauffez le four à 375 °F (190 °C).
Dans un saladier de taille moyenne, mélangez le saumon émietté, la chapelure, le céleri, l'ail et l'oignon, le poivron, le persil et le thym. Salez et poivrez à votre convenance. Incorporez ensuite le beurre fondu et les œufs battus, et mélangez jusqu'à obtention d'une consistance homogène.
Transvasez cette préparation dans un plat allant au four de taille moyenne, préalablement beurré. Parsemez le dessus de noisettes de beurre. Enfournez 30 min ; le pain de saumon doit être légèrement gonflé.

Voir variantes p. 171

Daurade aux champignons

Pour 6 personnes

Un plat de poisson facile à réaliser et généralement apprécié des convives de 7 à 77 ans.

700 g (1 ½ lb) de filets de daurade, coupés en 6 morceaux
2 c. à s. de jus de citron frais
1 pincée de paprika espagnol
Sel et poivre noir fraîchement moulu
350 g (4 ½ tasses) de champignons émincés
60 g (¼ tasse) de beurre doux
60 g (⅜ tasse) de farine tout usage
30 cl (1 ¼ tasse) de lait entier
5 cl (¼ tasse) de vin blanc sec
100 g (1 tasse) d'emmenthal, râpé

Préchauffez le four à 400 °F (200 °C).
Dans un plat allant au four préalablement beurré, disposez les filets de poisson, en évitant de les faire se chevaucher. Arrosez de jus de citron, saupoudrez de paprika, salez et poivrez à votre convenance. Enfournez 10 min.
Dans une petite poêle, faites fondre 25 g (2 c. à s.) de beurre et mettez-y les champignons à revenir, 4 min environ ; ils doivent être tendres. Réservez.
Dans une casserole de taille moyenne, faites fondre à feu moyen le reste de beurre. Ajoutez-y la farine, en remuant constamment jusqu'à obtention d'un mélange lisse, puis retirez du feu. Incorporez ensuite, en fouettant bien, le lait additionné de ½ c. à t. de sel, puis replacez la casserole sur le feu. Mouillez avec le vin. Portez à ébullition, sans cesser de remuer, jusqu'à épaississement. Retirez du feu 5 min après le premier bouillon.
Débarrassez le poisson de son jus de cuisson. Recouvrez-le des champignons, puis nappez le tout de sauce. Parsemez d'emmenthal râpé, puis enfournez 20 min.

Voir variantes p. 172

Sole en chemise

Pour 4 personnes

La sole est ici garnie d'un nappage qui la parfume et la rend moelleuse à souhait.

25 g (2 c. à s.) de beurre doux
225 g (1 1/3 tasse) d'oignons, finement émincés
3 tranches de pain rassis, coupées en petits morceaux
1/4 de c. à t. de thym séché
2 c. à t. de persil plat, finement ciselé
1 c. à t. de zeste de citron, râpé
1 œuf
4 filets de sole

Préchauffez le four à 345 °F (175 °C).
Dans une poêle de taille moyenne à fond épais, faites fondre doucement le beurre et mettez-y les oignons à revenir, 5 min environ ; ils doivent être tendres et translucides.
Dans un saladier, mélangez les oignons avec le pain, le thym, le persil, le zeste de citron et l'œuf entier.
Beurrez légèrement un plat allant au four de taille moyenne. Disposez-y les filets de sole, en veillant à ne pas les faire se chevaucher. Nappez le poisson de la préparation précédente et enfournez 30 min. Le poisson est prêt quand il est opaque et se coupe facilement.

Voir variantes p. 173

Gâteau de crabe

Pour 3 ou 4 personnes en entrée ou pour un déjeuner léger

Ce savoureux gâteau de crabe remplace avantageusement les petits crabes farcis individuels. Vous l'accompagnerez d'une salade verte bien relevée dans le cadre d'un déjeuner léger, ou d'une bonne baguette si vous le servez en entrée.

15 g (1 c. à s.) de beurre doux
2 c. à s. d'oignons, finement émincés
1 carotte, coupée en petits dés
1 branche de céleri, coupée en petits dés
10 cl (1/2 tasse) de fond de volaille
5 cl (1/4 tasse) de vin blanc sec
1 grosse pincée d'estragon séché
10 cl (1/2 tasse) de crème 15%
350 g (12 oz) de chair de crabe fraîche, cuite
1 c. à t. de jus de citron, frais
1 pincée de piment de Cayenne
Sel et poivre noir fraîchement moulu, au goût
25 g (1/4 tasse) de parmesan, fraîchement râpé

Préchauffez le gril.
Dans une casserole de taille moyenne à fond épais, faites chauffer le beurre à feu doux. Mettez-y les oignons, la carotte et le céleri, augmentez le feu et faites revenir, 1 min environ. Mouillez avec le fond de volaille, le vin et l'estragon. Portez le tout à ébullition et laissez réduire le liquide jusqu'à la valeur de 1 c. à s. Incorporez alors la crème et portez de nouveau le tout à ébullition. Remuez constamment pendant 2 min environ ; la sauce doit épaissir. Retirez la casserole du feu. Incorporez à la sauce la chair de crabe, le jus de citron et le piment de Cayenne. Salez et poivrez. Transvasez la préparation dans un petit plat allant au four ou dans des ramequins individuels, préalablement beurrés. Parsemez de parmesan et passez sous le gril 2 min, pour faire fondre et dorer le fromage.

Voir variantes p. 174

Gratin de chou-fleur et de crevettes

Pour 4 personnes

Ce gratin, qui marie astucieusement les saveurs du chou-fleur et des crevettes à celle du fromage, est un plat unique idéal – et roboratif.

1 gros chou-fleur
50 g (4 c. à s.) de beurre doux
½ oignon, finement émincé
25 g (¼ tasse) de farine tout usage
35 cl (1 ⅓ tasse) de lait entier
100 g (1 tasse) de cheddar, râpé
Sel et poivre noir fraîchement moulu, au goût
225 g (8 oz) de crevettes cuites, décortiquées

Débarrassez le chou-fleur de ses feuilles et de sa tige. Lavez-le soigneusement, puis faites-le cuire, en entier ou en bouquets détachés, dans un grand volume d'eau bouillante salée, 7 min environ. Égouttez-le et disposez-le dans un plat allant au four, préalablement beurré. Préchauffez le four à 375 °F (190 °C).
Dans une petite casserole, faites fondre le beurre à feu moyen et mettez-y l'oignon à revenir, 5 min environ ; il doit être tendre et translucide. Ajoutez la farine, en remuant constamment jusqu'à obtention d'un mélange lisse, puis retirez du feu.
Incorporez alors le lait, en fouettant bien, puis replacez la casserole sur le feu. Portez à ébullition, sans cesser de remuer, jusqu'à épaississement. Retirez du feu 5 min après le premier bouillon.
Ajoutez le cheddar râpé et mélangez bien, jusqu'à obtention d'un ensemble homogène ; le fromage doit être fondu. Salez et poivrez à votre goût, puis incorporez les crevettes. Nappez le chou-fleur de ce mélange et parsemez du reste de fromage râpé. Enfournez 20 min ; la préparation doit être bien dorée sur le dessus.

Voir variantes p. 175

Bouillabaisse

Pour 12 personnes

Un grand classique de la cuisine française du Sud, à savourer en toute convivialité.

20 cl (7/8 tasse) d'huile d'olive extravierge
2 oignons moyens, finement émincés
2 poireaux, nettoyés et coupés en fine julienne (blanc et vert)
3 tomates mûres, pelées et épépinées
4 gousses d'ail, finement émincées
1 brin de fenouil
1 brin de thym frais
1 feuille de laurier
1 c. à t. de zeste de citron, râpé
1,5 l (8 tasses) d'eau
1,4 kg (3 lb) de morue fraîche, coupée en tronçons de 5 cm (2 po) de côté
450 g (1 lb) de petits clams
450 g (1 lb) de pétoncles
350 g (3/4 lb) de moules, nettoyées et ébarbées
350 g (3/4 lb) de crevettes roses crues, décortiquées
Sel et poivre noir fraîchement moulu, au goût
25 g (1/3 tasse) de persil plat, finement ciselé

Dans une grande casserole, faites chauffer l'huile d'olive à feu moyen et mettez-y les oignons, les poireaux, les tomates concassées et l'ail à revenir 5 min, en remuant régulièrement ; les légumes doivent être tendres. Incorporez le fenouil, le thym, la feuille de laurier et le zeste de citron. Mouillez avec l'eau et portez à ébullition. Laissez mijoter à découvert 20 min environ, pour faire réduire le liquide.
Ajoutez alors la morue puis, après 2 min de cuisson, les clams, les pétoncles, les moules et les crevettes. Laissez mijoter 6 min environ ; les coquillages doivent être ouverts, les pétoncles opaques et les crevettes bien roses. Veillez à ce que la morue soit cuite et tendre, mais ferme. Goûtez et rectifiez l'assaisonnement à votre convenance. Servez dans des assiettes creuses et parsemez de persil ciselé.

Voir variantes p. 176

Ragoût de la mer

Pour 10 personnes

Cette recette requiert de la poudre de filé, un condiment à base de feuilles de sassafras séchées. Servez ce ragoût accompagné de riz.

75 g (1/3 tasse) de beurre doux
450 g (2 2/3 tasses) d'oignons, finement émincés
175 g (1 1/4 tasse) de céleri, coupé en petits dés
3 gousses d'ail, finement émincées
25 g (1/4 tasse) de farine tout usage
450 g (1 3/4 tasse) de tomates en conserve, concassées
1 c. à t. de sucre semoule
2 c. à s. de persil frisé, ciselé
1 brin de thym frais
2 feuilles de laurier
1/2 c. à t. de piment de Cayenne
Sel et poivre noir fraîchement moulu, au goût
450 g (1 lb) d'andouille, en tronçons de 1 cm (1/3 po)
225 g (1/2 lb) de chair de crabe
450 g (1 lb) de crevettes roses crues, décortiquées
1/2 c. à t. de purée de piment
5 cl (1/4 tasse) de sauce Worcestershire
Le jus de 1/2 citron
Poudre de filé

Dans une grande poêle à fond épais, faites fondre 25 g (2 c. à s.) de beurre et mettez-y les oignons à revenir 2 min environ. Ajoutez le céleri et l'ail et poursuivez la cuisson 6 min. Réservez. Dans une grande cocotte en fonte, faites fondre le reste du beurre. Ajoutez-y la farine, en remuant jusqu'à obtention d'un roux lisse, et la préparation aux oignons. Ajoutez 1,8 l (10 tasses) d'eau, les tomates, le sucre, le persil, le thym, le laurier, le piment de Cayenne, le sel et de poivre. Portez à ébullition, puis laissez mijoter à découvert 2 h 30, en remuant de temps à autre. Incorporez l'andouille, la chair de crabe et les crevettes, et poursuivez la cuisson 10 min. Agrémentez la préparation de la purée de piment, de la sauce Worcestershire et du jus de citron. Retirez la feuille de laurier. Saupoudrez chaque portion d'un peu de poudre de filé.
Voir variantes p. 177

Variantes

Gratin de macaronis au thon

Recette de base p. 153

Gratin de macaronis au thon et au maïs doux
Suivez la recette de base, en ajoutant aux petits pois 100 g (½ tasse) de maïs doux, frais ou en conserve.

Gratin de macaronis au thon et aux oignons frits
Suivez la recette de base, en recouvrant la préparation de 100 g (⅔ tasse) d'oignons frits avant d'enfourner.

Gratin de nouilles au thon
Suivez la recette de base, en remplaçant les macaronis par la même quantité de nouilles aux œufs, que vous aurez fait cuire selon les instructions portées sur le paquet.

Gratin de macaronis au thon et à la moutarde de Dijon
Suivez la recette de base, en ajoutant 1 c. à s. de moutarde de Dijon au beurre fondu de la sauce, en même temps que vous y incorporez la farine.

Gratin de macaronis au thon minute
Suivez la recette de base, sans le beurre, la farine, le lait ni le cheddar. Remplacez la sauce faite maison par une boîte de crème de champignons.

Variantes

Morue aux pommes de terre

Recette de base p. 154

Saumon aux pommes de terre
Suivez la recette de base, en remplaçant la morue par 700 g (1 ½ lb) de filet de saumon (pas de dessalage). Commencez par le faire revenir à la poêle.

Tilapia aux pommes de terre
Suivez la recette de base, en remplaçant la morue par 700 g (1 ½ lb) de filets de tilapia (pas de dessalage). Commencez par le faire revenir à la poêle.

Morue aux pommes de terre et aux olives
Suivez la recette de base, en ajoutant aux pommes de terre 100 g (3 ½ oz) d'olives noires, dénoyautées.

Morue aux pommes de terre et au maïs
Suivez la recette de base, en ajoutant aux pommes de terre 100 g (½ tasse) de maïs doux, frais ou en conserve.

Sole aux pommes de terre
Suivez la recette de base, en remplaçant la morue par 700 g (1 ½ lb) de filets de sole (pas de dessalage). Commencez par la faire revenir à la poêle.

Variantes

Pain de saumon au four

Recette de base p. 157

Pain de crabe au four
Suivez la recette de base, en remplaçant le saumon par la même quantité de chair de crabe.

Pain de thon au four
Suivez la recette de base, en remplaçant le saumon par 2 boîtes de thon au naturel, égoutté et émietté.

Pain de saumon minute
Suivez la recette de base, en remplaçant le saumon frais par 2 boîtes de saumon en conserve, égoutté et émietté.

Pain de saumon aux poivrons verts
Suivez la recette de base, en remplaçant les poivrons jaunes par des poivrons verts.

Pain de saumon à la coriandre
Suivez la recette de base, en remplaçant le thym par 2 c. à t. de coriandre fraîche, finement ciselée.

Variantes

Daurade aux champignons

Recette de base p. 158

Daurade aux champignons et aux olives
Suivez la recette de base, en disposant 50 g (1 3/4 oz) d'olives noires, dénoyautées et hachées, sur les champignons, avant de parsemer le tout de fromage.

Daurade aux champignons et aux cœurs d'artichaut
Suivez la recette de base, en disposant 400 g (1 1/8 tasse) de cœurs d'artichaut en conserve, égouttés et coupés en petits morceaux, sur les champignons, avant de parsemer le tout de fromage.

Daurade aux champignons et aux œufs durs
Suivez la recette de base, en incorporant à la sauce, une fois épaissie, 2 œufs durs grossièrement hachés.

Daurade aux champignons et aux crevettes
Suivez la recette de base. Après 10 min de cuisson au four, disposez 450 g (1 lb) de crevettes roses cuites, nettoyées et décortiquées, autour des morceaux de poisson.

Variantes

Sole en chemise

Recette de base p. 161

Morue en chemise
Suivez la recette de base, en remplaçant la sole par des filets de morue fraîche.

Sole en chemise aux champignons
Suivez la recette de base, en ajoutant aux oignons 225 g (3 tasses) de champignons, lors de la préparation de la sauce.

Tilapia en chemise
Suivez la recette de base, en remplaçant la sole par des filets de tilapia.

Truite en chemise
Suivez la recette de base, en remplaçant la sole par des filets de truite.

Variantes

Gâteau de crabe

Recette de base p. 162

Gâteau de crabe au maïs doux
Suivez la recette de base, en ajoutant à la préparation à la chair de crabe 225 g (7/8 tasse) de maïs doux, frais ou en conserve.

Gâteau de crabe au pecorino
Suivez la recette de base, en remplaçant le parmesan par la même quantité de pecorino râpé.

Gâteau de crabe à la coriandre
Suivez la recette de base, en remplaçant l'estragon séché par une pincée de coriandre fraîche, finement ciselée.

Gâteau de crabe aux épinards
Suivez la recette de base, en ajoutant à la sauce au vin, après réduction, 225 g (4 tasses) de pousses d'épinards frais, grossièrement hachées.

Gâteau de crabe à la chapelure et aux herbes
Suivez la recette de base. Mélangez le parmesan à 50 g (1/2 tasse) de chapelure, 1/2 c. à t. de basilic séché et 1/4 de c. à t. de thym séché, et parsemez-en la préparation.

Variantes

Gratin de chou-fleur et de crevettes

Recette de base p. 165

Gratin de chou-fleur et de crevettes à la coriandre
Suivez la recette de base, en ajoutant à la préparation 1 c. à t. de coriandre fraîche, finement ciselée.

Gratin de chou-fleur et de crevettes à la chapelure
Suivez la recette de base, en parsemant la préparation de 50 g (½ tasse) de chapelure, avant de l'enfourner.

Gratin de chou-fleur et de crevettes à la tomate
Suivez la recette de base, en garnissant de dessus de la préparation de 5 ou 6 rondelles de tomate, avant d'enfourner.

Gratin de chou-fleur et de crabe
Suivez la recette de base, en remplaçant les crevettes par la même quantité de chair de crabe, fraîche ou en conserve.

Variantes

Bouillabaisse

Recette de base p. 166

Bouillabaisse au safran
Suivez la recette de base, en ajoutant à l'eau 1 pincée de safran.

Bouillabaisse au chou frisé
Suivez la recette de base, en ajoutant à la préparation 450 g (6 tasses) de chou frisé, grossièrement haché, juste avant d'y incorporer le poisson. Mélangez bien.

Bouillabaisse au zeste d'orange
Suivez la recette de base, en remplaçant le zeste de citron par le zeste de ½ orange.

Bouillabaisse au loup de mer
Suivez la recette de base, en remplaçant la morue par du loup de mer.

Bouillabaisse à la rouille
Suivez la recette de base, en agrémentant chaque portion de ½ c. à t. de rouille : dans un mixeur, mélangez 1 c. à s. de fond de poisson avec 2 gousses d'ail, 1 petit piment rouge, ½ c. à t. de sel et 1 tranche de pain, coupée en petits morceaux, jusqu'à obtention d'une consistance lisse. Ajoutez 2 c. à s. d'huile d'olive, en mixant pour qu'elle soit bien incorporée.

Variantes

Ragoût de la mer

Recette de base p. 168

Ragoût de la mer aux gombos

Suivez la recette de base, en y ajoutant 450 g (1 lb) de gombos, coupés en tronçons, que vous aurez préalablement fait revenir, à très petit feu, dans 2 c. à s. d'huile d'olive, 30 à 40 min environ. Incorporez-les à la préparation en même temps que l'eau et la tomate.

Ragoût de la mer au poulet

Suivez la recette de base, en remplaçant l'andouille par 450 g (1 lb) de reste de poulet cuit. Incorporez le poulet à la préparation en même temps que la chair de crabe et les crevettes.

Ragoût de la mer aux œufs durs

Suivez la recette de base, en ajoutant à la préparation 4 œufs durs, coupés en quartiers, juste avant de servir.

Ragoût de la mer au haddock

Suivez la recette de base, en ajoutant à la préparation 700 g (2 lb) de filets de haddock, coupés en morceaux de 4 cm (4 ½ po) de côté. Incorporez le haddock en même temps que l'andouille et la chair de crabe.

Plats végétariens et végétaliens

Les recettes de ce chapitre n'incluent pas de viande, mais certaines comprennent des œufs et des laitages. Pour des plats 100 % végétariens, veillez à n'utiliser que des fromages garantis sans présure. Quant aux préparations végétaliennes, elles ne contiennent aucun produit d'origine animale.

Courge aux poivrons et à la feta

Pour 4 personnes

Ce plat délicieux, parfait pour les soirées fraîches, invite à votre table les belles couleurs de l'automne.

2 courges musquées (moyennes)
½ c. à t. d'huile d'olive extravierge
40 g (3 c. à s.) de beurre doux
225 g (1 ⅓ tasse) d'oignons, finement émincés
2 gousses d'ail, finement émincées
225 g (8 tasses) de poivrons rouges, en lamelles
2 œufs, légèrement battus
25 cl (1 tasse) de babeurre
100 g (3 ½ oz) de feta, émiettée
1 c. à t. de sel
Poivre noir fraîchement moulu, au goût

Préchauffez le four à 375 °F (190 °C).
Débarrassez les courges de leurs extrémités, coupez-les en deux dans la longueur, puis épépinez-les. Badigeonnez une plaque à pâtisserie d'huile d'olive et disposez-y les moitiés de courge, face coupée vers le bas. Enfournez 40 à 45 min, selon l'épaisseur des courges ; leur chair doit être tendre. Laissez refroidir.
Dans une poêle de taille moyenne à fond épais, faites fondre le beurre à feu doux et mettez-y les oignons à revenir, 5 min ; ils doivent être tendres et translucides. Ajoutez l'ail, puis, après 1 min de cuisson, les poivrons, que vous laisserez cuire 4 à 5 min. Réservez.
Dans un grand saladier, mélangez les œufs et le babeurre au fouet électrique. Ajoutez la feta.
À l'aide d'une cuillère, évidez les moitiés de courge. Écrasez leur chair à la fourchette, puis ajoutez cette purée à la préparation précédente. Mélangez bien, et incorporez les oignons et les poivrons. Salez et poivrez. Transvasez l'appareil dans un plat en terre cuite de taille moyenne que vous aurez préalablement beurré. Faites cuire 20 à 25 min.

Voir variantes p. 195

Orge au poireau

Pour 4 à 6 personnes

Ce plat copieux peut être servi seul, ou en accompagnement de viandes ou de poissons préparés au four.

1 gros poireau (entier)
1 oignon moyen
2 grosses carottes
2 tomates
225 g (1 tasse) d'orge (à cuire)
70 cl (2 ¾ tasses) de bouillon de légumes
100 g (3 ½ oz) de cheddar, coupé en dés
100 g (3 ½ oz) de feta, émiettée

Préchauffez le four à 345 °F (175 °C).
Rincez soigneusement le poireau, puis coupez-le en très fine julienne. Pelez l'oignon et les carottes, lavez les tomates, puis coupez le tout en petits morceaux. Mettez les légumes dans une grande cocotte munie d'un couvercle hermétique. Ajoutez-y l'orge, que vous aurez préalablement rincée. Mouillez le tout de bouillon et mélangez bien ; l'orge et les légumes doivent être recouverts de liquide. Couvrez la casserole et enfournez 45 à 50 min.
Sortez la cocotte du four. Ajoutez-y le fromage et mélangez bien. Enfournez de nouveau et laissez cuire à découvert 20 min environ, jusqu'à absorption quasi complète du bouillon.

Voir variantes p. 196

Tian d'aubergine et de courgette

Pour 4 à 6 personnes

Un délicieux plat d'automne à servir avec un bon pain croustillant, pour « saucer ».

1 grosse aubergine, coupée en tranches de 1 cm (1/3 po) d'épaisseur
Sel et poivre noir fraîchement moulu
2 c. à s. d'huile d'olive extravierge
1 gros oignon, finement émincé
2 gousses d'ail, finement émincées
800 g (3 tasses) de tomates entières en conserve
3 ou 4 feuilles de basilic, grossièrement hachées
2 c. à s. de persil plat, finement ciselé
2 petites courgettes, coupées dans la longueur
25 g (1/4 tasse) de farine tout usage
5 ou 6 c. à s. d'huile de tournesol
350 g (3 1/2 tasses) de mozzarella, râpée
25 g (1/4 tasse) de parmesan, fraîchement râpé

Disposez les tranches d'aubergine sur du papier absorbant. Saupoudrez-les de sel et réservez 30 min. Retournez-les, salez l'autre face et laissez dégorger encore 30 min. Réservez.
Dans une grande poêle à fond épais, faites chauffer l'huile d'olive et mettez-y l'oignon et l'ail à revenir 4 min. Ajoutez les tomates, concassées, et leur jus, la moitié du basilic et du persil. Salez et poivrez. Portez à ébullition. Réduisez le feu et laissez mijoter 25 min. Réservez.
Préchauffez le four à 345 °F (175 °C).
Rincez l'aubergine à l'eau froide et épongez-la avec du papier absorbant. Farinez légèrement, ainsi que les tranches de courgette. Dans une autre poêle, faites chauffer 2 c. à s. d'huile de tournesol. Mettez-y à dorer l'aubergine et la courgette (en plusieurs fois). Rajoutez de l'huile si nécessaire. Réservez sur du papier absorbant.
Graissez légèrement un plat allant au four (23 × 23 cm ou 9 × 9 po). Garnissez-en le fond d'une couche d'aubergine et de courgette, en veillant à ne pas faire se chevaucher les tranches. Nappez de la moitié de la sauce et de la moitié de la mozzarella. Parsemez du basilic et du persil restants. Réitérez l'opération et saupoudrez le tout de parmesan. Enfournez 30 min.

Voir variantes p. 197

Chilaquiles

Pour 6 personnes

Excellent pour la santé – il réunit des ingrédients appartenant aux cinq groupes d'aliments –, ce plat d'inspiration mexicaine flatte également les papilles.

1 c. à s. d'huile d'olive extravierge
225 g (1 1/3 tasse) d'oignons, finement émincés
225 g (7/8 tasse) de tomates en conserve, concassées
350 g (1 1/2 tasse) maïs doux, frais ou surgelé
425 g (2 1/3 tasses) de haricots noirs en conserve, égouttés
2 c. à s. de jus de citron vert, frais
Sel et poivre noir fraîchement moulu
225 g (3 3/4 tasses) de pousses d'épinards fraîches, lavées et grossièrement hachées
225 g (2 tasses) de chips de tortillas, émiettées
225 g (2 tasses) de cheddar, râpé
225 g (7/8 tasse) de sauce mexicaine à la tomate
25 g (1/3 tasse) de coriandre fraîche, finement ciselée
10 cl (1/2 tasse) de crème sure

Préchauffez le four à 345 °F (175 °C).

Dans une grande casserole, faites chauffer l'huile et mettez-y les oignons à revenir, 5 min. Ajoutez les tomates, le maïs doux, les haricots noirs, le jus de citron vert, 1 c. à t. de sel et 1/2 c. à t. de poivre, et poursuivez la cuisson 10 min. Dans une casserole, faites bouillir un grand volume d'eau et mettez-y les pousses d'épinards à blanchir, 1 à 2 min. Égouttez et réservez. Beurrez légèrement un plat allant au four (20 × 20 cm ou 8 × 8 po). Tapissez-en le fond de la moitié des chips de tortillas émiettées, que vous recouvrirez de la préparation aux haricots noirs. Parsemez de 175 g (1 3/4 tasse) de cheddar, puis recouvrez de pousses d'épinards. Nappez de la moitié de la sauce tomate et parsemez du reste de chips émiettées. Recouvrez du reste de sauce, puis du reste de cheddar. Enfournez 20 min. La préparation doit être chaude à cœur. Accompagnez de feuilles de coriandre ciselées et de crème sure.

Voir variantes p. 198

Fondant aux deux fromages

Pour 4 à 6 personnes

Voici un plat savoureux pour un déjeuner de week-end ou un brunch.

8 tranches de pain de mie, sans la croûte, découpées en lamelles de 1 cm (1/3 po)
350 g (3 1/2 tasses) de cheddar, râpé
350 g (3 1/2 tasses) de gruyère, râpé
2 c. à s. de coriandre fraîche, finement ciselée
4 œufs
45 cl (1 3/4 tasse) de lait entier
25 g (2 c. à s.) de beurre doux, fondu
1 pincée de piment de Cayenne
1 pincée de noix muscade
1/2 c. à t. de sel
1/4 de c. à t. de Poivre noir fraîchement moulu

Beurrez légèrement un plat allant au four (20 × 20 cm ou 8 × 8 po) et garnissez-en le fond de 4 tranches de pain.

Dans un saladier de taille moyenne, mélangez les deux fromages. Disposez la moitié de ce mélange sur le pain et parsemez de coriandre ciselée. Recouvrez à nouveau de pain, puis du reste de fromage.

Dans un autre saladier, mélangez les œufs, le lait, le beurre fondu, le piment de Cayenne, la noix muscade, le sel et le poivre. Nappez le pain et le fromage de cette préparation. Couvrez de film alimentaire et réservez au réfrigérateur 6 à 12 h.

Préchauffez le four à 320 °F (160 °C). Enfournez 1 h ; la préparation doit être légèrement gonflée et bien dorée sur le dessus. Sortez le plat du four et laissez refroidir 10 min sur une grille avant de servir.

Voir variantes p. 199

Haricots verts à la mode suisse

Pour 4 à 6 personnes

Voici une excellente manière d'accommoder les haricots verts, qui séduira vos invités.

50 g (4 c. à s.) de beurre doux
1 c. à t. de sel
1 c. à t. de sucre
25 g (1/4 tasse) de farine tout usage
1/4 de c. à t. de Poivre noir fraîchement moulu
1 pincée de noix muscade
100 g (2/3 tasse) d'oignons, finement émincés
25 cl (1 tasse) de crème sure
1,4 kg (10 tasses) de haricots verts frais
100 g (1 tasse) d'emmental, râpé
25 g (1/4 tasse) de chapelure

Préchauffez le four à 400 °F (200 °C). Dans une grande casserole, faites fondre la moitié du beurre à feu doux. Ajoutez-y le sel, le sucre, la farine, le poivre, la noix muscade et les oignons, puis incorporez la crème sure. Retirez la casserole du feu dès que le mélange est bien chaud.

Équeutez les haricots verts et coupez-les en tronçons de 2,5 cm (1 po) . Faites-les cuire dans un grand volume d'eau bouillante salée, 7 min environ ; ils doivent être cuits, mais croquants. Incorporez-les au mélange précédent, puis transvasez le tout dans un plat allant au four de taille moyenne, que vous aurez légèrement beurré.

Faites fondre le reste de beurre et ajoutez-y le fromage râpé et la chapelure. Parsemez les haricots verts de ce mélange et enfournez 20 min.

Voir variantes p. 200

Nouilles forestière aux brocolis

Pour 6 personnes

Voici un plat unique copieux et rassasiant, du fait de la présence des nouilles.

25 g (2 c. à s.) de beurre doux
1 gros oignon, finement émincé
450 g (6 tasses) de champignons de Paris, émincés
900 g (4 ½ tasses) de brocolis en bouquets
Sel et poivre noir fraîchement moulu, au goût
5 cl (¼ tasse) de vin blanc sec
3 œufs
700 g (24 oz) de ricotta
225 g (1 tasse) de yogourt nature
1 pincée de piment de Cayenne
1 pincée de noix muscade
700 g (4 tasses) de nouilles aux œufs
50 g (½ tasse) de chapelure
100 g (1 tasse) de cheddar, râpé

Préchauffez le four à 345 °F (175 °C). Dans une grande poêle à fond épais, faites fondre 15 g (1 c. à s.) de beurre et mettez-y l'oignon, les champignons et les brocolis à revenir 6 à 8 min ; les légumes doivent être tendres. Salez et poivrez, mouillez de vin blanc et réservez.
Dans un saladier, mélangez les œufs, la ricotta, le yogourt, le piment de Cayenne et la noix muscade. Réservez.
Dans une casserole, faites cuire les nouilles dans un grand volume d'eau salée, en suivant les instructions du fabricant. Elles doivent être *al dente*. Égouttez-les soigneusement et ajoutez-y le reste de beurre.
Mélangez les légumes et la préparation aux œufs. Ajoutez-y les nouilles et la moitié de la chapelure. Versez le mélange dans un grand plat allant au four, préalablement beurré. Parsemez le tout du reste de chapelure mélangé au fromage râpé. Couvrez avec du papier d'aluminium et enfournez 30 min. Découvrez ensuite le plat et poursuivez la cuisson 15 min. La préparation doit être chaude à cœur.

Voir variantes p. 201

Tajine de pois chiches, couscous aux raisins secs

Pour 4 personnes

Le mot *tajine* désigne aussi bien le plat en terre cuite traditionnel d'Afrique du Nord, muni d'un couvercle conique, que les mets préparés dans ce contenant. Si vous n'avez pas de tajine, une grande cocotte avec un couvercle fera l'affaire. Veillez seulement, en soulevant ce dernier, à ce que l'eau de condensation retombe dans la préparation.

5 cl (1/4 tasse) d'huile d'olive extravierge
1 oignon moyen, finement émincé
3 gousses d'ail, finement émincées
1/2 c. à t. de cumin en poudre
1/2 c. à t. de curcuma en poudre
1/4 de c. à t. de piment de Cayenne
1 c. à t. de paprika espagnol
2 c. à t. de purée de tomates
1 c. à t. de confiture d'abricots
2 c. à s. de persil plat, finement ciselé
2 c. à s. de coriandre fraîche, finement ciselée
25 cl (1 tasse) d'eau (davantage, si nécessaire)
450 g (2 tasses) de tomates cerises
425 g (2 1/2 tasses) de pois chiches en conserve, égouttés
Sel et poivre noir fraîchement moulu, au goût
225 g (1 1/3 tasse) de semoule
25 cl (1 tasse) de bouillon de légumes
75 g (1/2 tasse) de raisins secs
75 g (5/8 tasse) de pignons de pin
25 g (1/3 tasse) de menthe fraîche, finement ciselée

Dans un tajine ou une grande cocotte, faites chauffer l'huile et mettez-y les oignons à revenir, 5 min. Ajoutez-y l'ail, puis, 1 min après, le cumin, le curcuma et le piment de Cayenne. Remuez sans discontinuer pendant 1 min. Ajoutez le paprika, la purée de tomates, la confiture, 1 c. à t. de persil et autant de coriandre. Mouillez avec l'eau. Incorporez les tomates et les pois chiches, salez et poivrez à votre convenance. Couvrez et laissez mijoter 15 à 20 min ; les tomates doivent avoir

éclaté et être bien cuites. Réservez au chaud jusqu'au moment de servir. Environ 5 min avant de servir, préparez le couscous. Dans une petite casserole fermant hermétiquement, portez le bouillon à ébullition. Retirez la casserole du feu, versez-y la semoule en pluie et remuez bien. Couvrez et réservez 5 min. Égrenez ensuite la semoule à la fourchette et ajoutez-y les raisins secs, les pignons de pin et la menthe. Égrenez de nouveau, puis servez en accompagnement du tajine.

Voir variantes p. 202

Chou vert et chou frisé au tofu

Pour 4 à 6 personnes

Voici une délicieuse préparation à savourer par une soirée hivernale. Elle emploie des légumes de saison, ici agrémentés d'une excellente garniture au tofu.

- 5 c. à s. d'huile d'olive extravierge
- 2 oignons moyens, finement émincés
- 450 g (6 tasses) de chou vert, débarrassé du cœur dur et finement émincé
- 450 g (6 tasses) de chou frisé, débarrassé de sa tige et grossièrement haché
- 3 carottes, coupées en fine julienne
- 25 cl (1 tasse) d'eau
- 2 c. à s. de sauce tamari
- 3/4 de c. à t. de sel
- 75 g (3/4 tasse) de chapelure
- 175 g (6 oz) de tofu, égoutté et coupé en gros dés
- 2 c. à t. de basilic séché
- 1 1/2 c. à t. d'origan séché
- 1 c. à t. de paprika espagnol
- 2 gousses d'ail, finement émincées

Préchauffez le four à 345 °F (175 °C).

Dans un wok ou une grande poêle assez profonde, faites chauffer à feu moyen 2 c. à s. d'huile et mettez-y les oignons à revenir, 7 min ; ils doivent être bien dorés. Ajoutez les deux choux, les carottes, l'eau, la sauce tamari et 1/2 c. à t. de sel. Remuez bien, puis laissez mijoter 8 min, en remuant de temps à autre.

Lorsque les légumes sont bien tendres, transvasez l'ensemble dans un grand plat en terre cuite légèrement beurré. Mélangez, à la fourchette ou à l'aide d'un batteur, la chapelure, le tofu, le basilic, l'origan, le paprika, l'ail et le reste de sel. Parsemez les légumes de cette préparation et enfournez 20 min, jusqu'à ce que le dessus soit bien doré.

Voir variantes p. 203

Variantes

Courge aux poivrons rouges et à la feta

Recette de base p. 179

Courge aux graines de tournesol
Suivez la recette de base, en parsemant la préparation de 50 g (1/3 tasse) de graines de tournesol grillées et concassées, avant de l'enfourner.

Courge aux poivrons rouges et verts
Suivez la recette de base, en remplaçant les poivrons rouges par la même quantité d'un mélange de poivrons rouges et verts, épépinés et coupés en lamelles.

Courge aux pignons de pin
Suivez la recette de base, en parsemant la préparation de 50 g (1/4 tasse) de pignons de pin grillés et concassés, avant de l'enfourner.

Courge au tofu
Suivez la recette de base, en ajoutant à la feta 100 g (4 oz) de tofu émietté.

Citrouille aux poivrons rouges et à la feta
Suivez la recette de base, en remplaçant la courge musquée par la même quantité de citrouille.

Variantes

Orge au poireau

Recette de base p. 180

Orge au poireau et au fromage végétalien
Suivez la recette de base, en remplaçant le cheddar et la feta par 225 g (8 oz) de fromage végétalien.

Orge au poireau et au poivron
Suivez la recette de base, en complétant le mélange de légumes par 1 gros poivron rouge, épépiné et coupé en fines lamelles.

Orge au poireau et au fromage de chèvre
Suivez la recette de base, en remplaçant la feta par 100 g (3 ½ oz) de fromage
de chèvre frais.

Orge au poireau et aux olives
Suivez la recette de base, en complétant le mélange de légumes par 100 g (3 ½ oz) d'olives noires, dénoyautées.

Orge au poireau et aux brocolis
Suivez la recette de base, en ajoutant au fromage 1 tête de brocoli, séparée en bouquets.

Variantes

Tian d'aubergine et de courgette

Recette de base p. 183

Tian d'aubergine, de courgette et de champignons
Suivez la recette de base, en faisant revenir 225 g (3 tasses) de champignons émincés avec les oignons et l'ail.

Tian d'aubergine et de courgette à la ricotta
Suivez la recette de base, en remplaçant la mozzarella par 350 g (12 oz) de ricotta.

Tian d'aubergine et de courgette à la fontina
Suivez la recette de base, en remplaçant la mozzarella par 350 g (12 oz) de fontina en tranches.

Tian d'aubergine et de courgette aux olives noires
Suivez la recette de base, en ajoutant aux tomates 100 g (3 ½ oz) d'olives noires, dénoyautées et finement tranchées.

Tian d'aubergine et de courgette en croûte d'herbes aromatiques
Suivez la recette de base, en remplaçant la farine par 25 g (¼ tasse) de chapelure aux herbes.

Variantes

Chilaquiles

Recette de base p. 184

Chilaquiles aux haricots rouges
Suivez la recette de base, en remplaçant les haricots noirs par des haricots rouges.

Chilaquiles aux oignons blancs
Suivez la recette de base, en remplaçant la coriandre par 50 g (1/3 tasse) d'oignons blancs, finement émincés.

Chilaquiles au chou frisé
Suivez la recette de base, en remplaçant les épinards par la même quantité de feuilles de chou frisé, débarrassées de leur tige et grossièrement hachées.

Chilaquiles aux poivrons rouges
Suivez la recette de base, en ajoutant au maïs doux 225 g (8 1/2 tasses) de poivrons rouges, épépinés et coupés en fines lamelles.

Chilaquiles au cumin et au piment
Suivez la recette de base, en ajoutant aux oignons 1 c. à t. de cumin en poudre et 1/2 c. à t. de piment en poudre.

Variantes

Fondant aux deux fromages

Recette de base p. 187

Fondant aux deux fromages et au basilic
Suivez la recette de base, en remplaçant la coriandre par du basilic frais.

Fondant aux deux fromages et au pain complet
Suivez la recette de base, en remplaçant le pain de mie par du pain complet.

Fondant aux deux fromages et aux épinards
Suivez la recette de base, en ajoutant à la préparation aux œufs 100 g (2 tasses) d'épinards frais, grossièrement hachés.

Fondant aux deux fromages et à la crème
Suivez la recette de base, en ajoutant à la préparation aux œufs 25 cl (1 tasse) de crème 35 %, bien battue.

Fondant aux deux fromages et à la tomate
Suivez la recette de base, en y ajoutant 8 rondelles de tomate. Garnissez chaque tranche de pain d'une rondelle de tomate.

Variantes

Haricots verts à la mode suisse

Recette de base p. 188

Haricots verts au cheddar
Suivez la recette de base, en remplaçant l'emmenthal par la même quantité de cheddar râpé.

Légumes verts à la mode suisse
Suivez la recette de base, en remplaçant les haricots verts par la même quantité de diverses sortes de haricots frais. Jouez la variété et les couleurs.

Haricots verts aux edamame
Suivez la recette de base, en utilisant seulement 180 g (1 ⅓ tasse) de haricots verts, que vous compléterez par 225 g (2 ¼ tasses) d'edamame (fèves de soja fraîches).

Haricots verts à la sauge
Suivez la recette de base, en ajoutant à la préparation à la crème sure 1 c. à s. de sauge fraîche, finement ciselée.

Variantes

Nouilles forestière aux brocolis

Recette de base p. 191

Riz forestière aux brocolis
Suivez la recette de base, en remplaçant les nouilles par 700 g (3 ½ tasses) de riz complet cuit.

Riz aux brocolis et aux champignons de Paris bruns
Suivez la recette de base, en remplaçant les champignons blancs par la même quantité de champignons de Paris bruns.

Nouilles forestière aux cocos plats
Suivez la recette de base, en remplaçant les brocolis par autant de cocos plats, coupés en morceaux.

Orzo forestière aux brocolis
Suivez la recette de base, en remplaçant les nouilles par 450 g (3 tasses) d'orzo cuit.

Variantes

Tajine de pois chiches, couscous aux raisins secs

Recette de base p. 192

Tajine de pois chiches et de courge musquée, couscous aux raisins secs
Suivez la recette de base, en y ajoutant 450 g (3 ⅔ tasses) de courge musquée. Pelez et épépinez la courge. Coupez-la en dés et incorporez-la à la préparation. Laissez mijoter 30 min en tout ; la courge doit être tendre. Ajoutez les tomates après 10 min de cuisson.

Tajine de pois chiches et de courgette, couscous aux raisins secs
Suivez la recette de base, en ajoutant aux tomates 1 petite courgette, débarrassée de ses extrémités et coupée en dés.

Tajine de pois chiches et de chou frisé, couscous aux raisins secs
Suivez la recette de base, en ajoutant aux tomates 225 g (3 tasses) de chou frisé, nettoyé et grossièrement haché.

Tajine de pois chiches et d'aubergine, couscous aux raisins secs
Suivez la recette de base, en ajoutant aux tomates 1 aubergine moyenne, débarrassée de ses extrémités et coupée en dés.

Variantes

Chou vert et chou frisé au tofu

Recette de base p. 194

Chou vert et blettes au tofu
Suivez la recette de base, en remplaçant le chou frisé par des blettes.

Chou vert et chou frisé aux tomates
Suivez la recette de base, en parsemant les légumes de 225 g (1 tasse) de tomates cerises, avant de tout napper de la préparation au tofu.

Chou rouge et chou frisé au tofu
Suivez la recette de base, en remplaçant le chou vert par du chou rouge.

Chou vert et chou frisé aux graines de citrouille
Suivez la recette de base, en ajoutant à la garniture 50 g (1/3 tasse) de graines de citrouille grillées et concassées, avant d'en napper les légumes.

Préparations allégées

Les gourmets soucieux de leur ligne et de leur santé trouveront dans ce chapitre de quoi les combler. Si les recettes n'emploient pas – ou très peu – de matière grasse, elles n'en sont pas moins savoureuses et seront appréciées de tous vos convives, qu'ils suivent ou non un régime.

Millefeuille de courgette et de polenta

Pour 6 à 8 personnes

Le fromage donne un air de fête à ce délicieux millefeuille de courgette et de polenta.

Spray de cuisson allégé
2 c. à s. d'huile d'olive extravierge
2 petites courgettes, coupées en fines tranches
½ c. à t. de sel
½ c. à t. de Poivre noir fraîchement moulu
350 g (1 ⅜ tasse) de sauce tomate, en conserve
6 à 8 feuilles de basilic frais, grossièrement hachées
400 g (14 oz) de polenta toute prête, coupée en 6 tranches fines
350 g (12 oz) de mozzarella allégée, coupée en dés

Préchauffez le four à 450 °F (230 °C). Graissez légèrement un grand plat allant au four avec un spray de cuisson allégé.
Dans une grande poêle à fond épais, faites chauffer l'huile d'olive à feu moyen et mettez-y les courgettes (salées et poivrées) à revenir 6 min environ. Sitôt qu'elles sont tendres et qu'elles commencent à brunir, ajoutez-y la sauce tomate et mélangez bien. Laissez mijoter 3 min environ. Dès que la préparation est bien chaude, retirez la casserole du feu et ajoutez le basilic haché.
Garnissez le fond du plat des tranches de polenta. Parsemez de 175 g (1 ¾ tasse) de fromage râpé, puis recouvrez de la préparation à la courgette. Terminez par une couche de fromage râpé. Enfournez 15 min. Au sortir du four, laissez refroidir 5 min sur une grille avant de servir.

Voir variantes p. 221

Lasagnes à la courge musquée

Pour 4 à 6 personnes

Ces lasagnes à la courge musquée et aux champignons, aussi goûteuses qu'originales, feront à coup sûr le bonheur de vos convives.

2 courges musquées, moyennes
2 c. à s. d'huile d'olive extravierge + un peu pour la plaque
3 gousses d'ail, finement émincées
900 g (12 tasses) de champignons de Paris, émincés
¼ de c. à t. de sel
35 cl (1 ⅓ tasse) de lait concentré
100 g (⅔ tasse) d'échalotes, finement émincées
1 c. à s. de sauge fraîche, finement ciselée
Sel et poivre noir fraîchement moulu, au goût
225 g (2 tasses) de lasagnes à la farine complète
Spray de cuisson allégé

Préchauffez le four à 400 °F (200 °C).
Pelez 1 courge et coupez-la en dés de 1 cm (⅓ po) de côté. Débarrassez l'autre de ses extrémités, coupez-la en deux dans la longueur, puis épépinez-la. Badigeonnez une plaque à pâtisserie d'huile d'olive et disposez-y les moitiés de courge face coupée vers le bas. Enfournez 40 à 45 min, selon l'épaisseur des légumes ; la chair doit être tendre. Laissez refroidir.
Dans une grande poêle, faites chauffer l'huile à feu moyen et mettez-y 2 gousses d'ail à revenir, 10 s. Ajoutez les champignons et salez. Augmentez le feu et poursuivez la cuisson 6 min, en remuant régulièrement. Retirez la casserole du feu, ajoutez les dés de courge et réservez.
Dans une casserole de taille moyenne, mélangez le lait concentré, les échalotes, le reste d'ail et la sauge. Portez le tout à ébullition, couvrez, puis retirez la casserole du feu.
Évidez les deux moitiés de courge et récupérez leur chair pour en faire une purée. Ajoutez celle-ci à la préparation précédente et mélangez bien, jusqu'à obtention d'une consistance homogène. Salez et poivrez à votre convenance. Réservez.

Plongez les lasagnes dans une grande casserole d'eau bouillante salée, 7 min environ ; elles doivent rester un peu fermes. Graissez légèrement un grand plat allant au four (23 × 33 cm ou 9 × 13 po) à l'aide d'un spray de cuisson allégé.
Garnissez le fond du plat de la moitié de la préparation au lait et à la courge. Recouvrez de 3 feuilles de lasagnes, découpées aux dimensions du plat. Disposez par-dessus 225 g (8 oz) de l'appareil aux champignons et nappez d'une petite couche de purée. Répétez l'opération deux fois. Recouvrez le plat de papier d'aluminium et enfournez 20 min. Faites cuire encore 10 min à découvert. Au sortir du four, laissez refroidir 10 min sur une grille avant de servir.

Voir variantes p. 222

Ragoût de haricots noirs et de citrouille

Pour 4 personnes

Ce plat délicieux vous permettra de (re)découvrir ce légume plein de ressources.

450 g (3 2/3 tasses) de citrouille, pelé, épépiné et coupé en dés
4 gousses d'ail, finement émincées
1 l (4 tasses) de bouillon de légumes
1 c. à s. d'huile d'olive extravierge
450 g (2 2/3 tasses) d'oignons, finement émincés
450 g (5 tasses) de poivrons rouges, épépinés et coupés en fines lamelles
2 c. à t. de basilic séché
225 g (1 tasse) de maïs doux, frais ou en conserve
2 × 375 g (2 tasses) de haricots noirs en conserve, avec leur jus
1 c. à s. de jus de citron vert, frais
Sel et poivre noir fraîchement moulu, au goût
2 c. à s. de persil plat, finement ciselé

Dans une grande casserole, faites chauffer à feu moyen le bouillon de légumes avec les dés de citrouille et l'ail. Portez le tout à ébullition, puis baissez le feu, couvrez et laissez mijoter 15 à 20 min ; la citrouille doit être tendre. Réduisez la préparation en purée, à l'aide d'un mixeur plongeur. Réservez.

Dans une autre grande casserole, faites chauffer l'huile d'olive à feu moyen et mettez-y les oignons et les poivrons à revenir, 15 min environ ; ils doivent être un peu caramélisés. Ajoutez le basilic, puis la purée de citrouille et mélangez bien. Incorporez ensuite le maïs doux et les haricots noirs, avec leur jus. Poursuivez la cuisson à feu moyen, en remuant souvent. La préparation doit être bien chaude. Agrémentez-la de jus de citron vert et assaisonnez à votre goût. Servez dans des bols, après avoir parsemé chaque portion d'un peu de persil.

Voir variantes p. 223

Délice aux trois poivrons

Pour 6 personnes

Un mijoté haut en couleur, et bien relevé par le piment et le paprika.

25 g (2 c. à s.) de beurre doux
2 c. à s. d'huile d'olive extravierge
2 gousses d'ail, finement émincées
450 g (2 2/3 tasses) d'oignons, finement émincés
1 c. à t. de sel
1 c. à t. de coriandre en poudre
1 c. à t. de cumin en poudre
1/2 c. à t. de moutarde en poudre
1/4 de c. à t. de piments secs en copeaux
2 poivrons verts, épépinés et coupés en lamelles
2 poivrons jaunes, épépinés et coupés en lamelles
2 poivrons rouges, épépinés et coupés en lamelles
25 g (1/4 tasse) de farine tout usage
100 g (1 tasse) de cheddar, râpé
4 œufs
350 g (1 1/3 tasse) de yogourt nature
1 pincée de paprika espagnol

Préchauffez le four à 375 °F (190 °C).
Dans une grande poêle à fond épais, faites chauffer le beurre et l'huile, et mettez-y l'ail et les oignons à revenir. Salez, saupoudrez de coriandre, de cumin, de moutarde et de copeaux de piments, et poursuivez la cuisson 5 min. Ajoutez les poivrons et prolongez la cuisson 10 min. Incorporez la farine et mélangez bien, jusqu'à obtention d'une consistance homogène.
Beurrez légèrement un grand plat allant au four. Garnissez-en le fond de la moitié de la préparation aux poivrons. Parsemez de la moitié du fromage râpé. Recouvrez du reste de poivrons et terminez par une couche de fromage râpé.
Dans un saladier de taille moyenne, mélangez au fouet électrique les œufs et le yogourt. Nappez les poivrons de ce mélange et saupoudrez de paprika. Couvrez le plat (avec son couvercle ou une feuille de papier d'aluminium) et enfournez 40 min. Poursuivez la cuisson à découvert encore 15 min. La préparation doit être bien dorée sur le dessus.

Voir variantes p. 224

Mijoté de lentilles et de tubercules

Pour 4 personnes

Voici un savoureux plat allégé, qui présente également l'avantage d'être vite réalisé.

3 c. à s. d'huile d'olive extravierge
225 g ($1\,^{1}/_{4}$ tasse) de rutabagas, pelés et coupés en dés
225 g ($1\,^{1}/_{4}$ tasse) de panais, pelés et coupés en dés
225 g ($1\,^{1}/_{4}$ tasse) de carottes, pelées et coupées en dés
2 branches de céleri, coupées en dés
450 g ($2\,^{2}/_{3}$ tasses) d'oignons, finement émincés
175 g ($^{7}/_{8}$ tasse) de lentilles noires ou rouges
2 gousses d'ail, finement émincées
400 g ($1\,^{1}/_{2}$ tasse) de tomates entières en conserve, avec leur jus
60 cl ($2\,^{1}/_{2}$ tasses) de bouillon de légumes
Sel et poivre noir fraîchement moulu, au goût
2 c. à t. de jus de citron frais
2 c. à s. de persil plat, finement ciselé

Dans une grande poêle à fond épais ou dans une grande cocotte en fonte, faites chauffer l'huile et mettez-y les rutabagas, les panais, les carottes, les céleris et les oignons à revenir, 5 min environ, en remuant de temps à autre.
Ajoutez les lentilles et l'ail, et poursuivez la cuisson 5 min, en mélangeant fréquemment.
Incorporez ensuite les tomates et le bouillon, salez et poivrez à votre convenance. Portez le tout à ébullition, puis réduisez le feu, couvrez et laissez mijoter 30 à 45 min ; les lentilles doivent être cuites. Agrémentez d'un peu de jus de citron.
Servez dans des bols, après avoir parsemé chaque portion d'un peu de persil.

Voir variantes p. 225

Gâteau de patate douce, de courge et de poire

Pour 12 personnes

Un savoureux mariage de parfums que l'on ne songerait pas d'emblée à associer...

900 g (2 lb) de patates douces, pelées et coupées en dés
700 g ($5\frac{1}{2}$ tasses) de courge musquée, pelée, épépinée et coupée en dés
450 g ($2\frac{1}{2}$ tasses) de poires, pelées, épépinées et coupées en dés
2 c. à s. de jus de pomme
1 banane, écrasée
8 cl ($\frac{1}{3}$ tasse) de lait concentré
1 c. à t. de cannelle en poudre
$\frac{1}{2}$ c. à t. de noix muscade
$\frac{1}{4}$ de c. à t. de cardamome en poudre
2 œufs
175 g ($\frac{7}{8}$ tasse) de flocons d'avoine
50 g ($\frac{1}{4}$ tasse) de sucre roux

Dans une grande cocotte en fonte, disposez la patate douce et la courge, et recouvrez-les d'eau. Portez à ébullition, réduisez le feu et laissez mijoter 20 min. Égouttez et réservez.
Dans une poêle de taille moyenne, faites sauter à feu moyen les poires dans le jus de pomme, 5 à 6 min. Avec un robot, réduisez en purée la patate douce, la courge et la poire. Ajoutez-y la banane écrasée, le lait concentré, la cannelle, la noix muscade, la cardamome et les œufs. Mélangez bien, jusqu'à obtention d'une consistance homogène.
Préchauffez le four à 345 °F (175 °C).
Graissez légèrement un grand plat allant au four ou des cassolettes individuelles à l'aide d'un spray de cuisson allégé. Versez-y la préparation précédente et lissez le dessus à la spatule.
Dans un saladier, mélangez les flocons et le sucre ; parsemez-en la purée. Enfournez 30 min.

Voir variantes p. 226

Compotée de chou-fleur au poivron

Pour 6 à 8 personnes

Cette recette marie bien les saveurs complémentaires du chou-fleur et du poivron rouge.

Spray de cuisson allégé
1 gros chou-fleur, divisé en bouquets
1 poivron rouge, épépiné et coupé en lamelles
35 cl (1 1/3 tasse) de lait écrémé
25 g (1/4 tasse) de farine tout usage
Le zeste de 1 citron, râpé
1 1/4 de c. à t. de basilic séché
1/2 c. à t. de sel
1/2 c. à t. de Poivre noir fraîchement moulu
12,5 cl (1/2 tasse) de crème 35% allégée, battue à la fourchette
1 c. à s. margarine non hydrogénée, fondue
100 g (1 tasse) de chapelure de pain complet
50 g (1/2 tasse) de parmesan, fraîchement râpé

Préchauffez le four à 375 °F (190 °C).
Graissez légèrement un grand plat allant au four avec un spray de cuisson allégé. Réservez.
Dans une casserole, faites cuire le chou-fleur dans un grand volume d'eau bouillante salée, 3 min environ ; il doit être cuit, mais croquant. Égouttez les bouquets et disposez-les dans le plat. Parsemez le chou-fleur des lamelles de poivrons rouges.
Dans une casserole de taille moyenne, mélangez à feu moyen le lait, la farine, le zeste de citron, 1 c. à t. de basilic, le sel et le poivre. Portez le tout à ébullition et laissez cuire 5 min environ, jusqu'à épaississement de la préparation. Ajoutez la crème 35% et mélangez bien, jusqu'à obtention d'une consistance homogène. Nappez soigneusement le chou-fleur et les poivrons de cette sauce.
Dans un petit saladier, mélangez la margarine fondue, la chapelure, le parmesan et le reste de basilic. Parsemez le plat de ce mélange. Enfournez 20 min, jusqu'à ce que le dessus soit bien gratiné. Au sortir du four, laissez refroidir 5 min sur une grille avant de servir.

Voir variantes p. 227

Poulet au citron et au sarrasin

Pour 6 personnes

Ce plat change agréablement de la traditionnelle association riz/poulet.

2 c. à t. d'huile de maïs
6 blancs de poulet, sans la peau
Sel et poivre noir fraîchement moulu, au goût
350 g (2 1/3 tasses) d'oignons, finement émincés
2 gousses d'ail, finement émincées
350 g (2 1/4 tasses) de sarrasin
1/2 c. à t. de cumin en poudre
1/2 c. à t. de coriandre en poudre
1/2 c. à t. de cardamome en poudre
Le jus et le zeste, râpé, de 1 citron
70 cl (2 3/4 tasses) de fond de volaille

Préchauffez le four à 345 °F (175 °C).
Dans une grande poêle à fond épais, faites chauffer l'huile à feu moyen et mettez-y les morceaux de poulet à revenir ; ils doivent être bien dorés sur toutes les faces. Salez et poivrez, puis disposez les morceaux de viande dans un grand plat allant au four.
Dans la même poêle, faites revenir les oignons, 5 min environ ; ils doivent être tendres et translucides. Ajoutez l'ail, puis, 1 min après, le sarrasin, en prenant soin de remuer soigneusement, pour bien l'enduire de matière grasse. Faites revenir le tout 1 min environ, puis agrémentez de cumin, de coriandre, de cardamome, de jus et de zeste de citron. Nappez le poulet de cette préparation.
Dans une casserole de taille moyenne, portez le bouillon à ébullition. Mouillez-en le poulet et le sarrasin. Couvrez le plat de papier d'aluminium et enfournez 45 min ; la préparation doit être chaude à cœur et le sarrasin doit avoir absorbé la plus grande partie du bouillon.

Voir variantes p. 228

Ragoût de dinde à la dijonnaise

Pour 6 personnes

La moutarde de Dijon et le vin blanc relèvent agréablement le goût neutre de la dinde.

1 c. à s. d'huile d'olive extravierge + 1 c. à t.
2 gros poireaux, coupés en fine julienne
3 gousses d'ail, finement émincées
50 g (1/3 tasse) de farine tout usage + 1 c. à s.
700 g (1 1/2 lb) de blancs de dinde, sans la peau, coupés en morceaux
1/2 c. à t. de sel
1/2 c. à t. de Poivre noir fraîchement moulu
25 cl (1 tasse) de vin blanc sec
70 cl (2 3/4 tasses) de fond de volaille
35 cl (1 1/3 tasse) d'eau
2 c. à s. de moutarde de Dijon
450 g (1 lb) de pommes de terre rouges, pelées et coupées en dés de 1 cm (1/3 po)
3 carottes, coupées en gros tronçons
1 pincée de copeaux de piment secs

Dans une grande cocotte en fonte, faites chauffer à feu moyen 1 c. à t. d'huile et mettez-y les poireaux à revenir, 6 min environ. Ajoutez l'ail et poursuivez la cuisson 1 min de plus. Réservez les poireaux dans un saladier.
Dans une assiette creuse, mettez 50 g (1/3 tasse) de farine. Farinez, sans excès, les morceaux de dinde. Dans la cocotte, faites chauffer le reste de l'huile et mettez-y les morceaux de dinde à revenir ; ils doivent être bien dorés. Salez et poivrez. Réservez avec les poireaux.
Déglacez la cocotte avec le vin. Dans un verre doseur, mélangez le reste de farine avec 25 cl (1 tasse) de fond de volaille, jusqu'à obtention d'une consistance homogène. Versez ce mélange dans la cocotte, puis ajoutez le reste de bouillon, l'eau et la moutarde. Portez à ébullition, puis remettez la dinde et les poireaux dans la cocotte. Réduisez le feu, couvrez et laissez mijoter 30 min. Ajoutez ensuite les pommes de terre et les carottes, et poursuivez la cuisson à petit feu, 30 min encore. Agrémentez des copeaux de piments secs avant de servir.

Voir variantes p. 229

Variantes

Millefeuille de courgette et de polenta

Recette de base p. 205

Millefeuille de courgette, d'aubergine et de polenta
Suivez la recette de base, en remplaçant 1 courgette par 1 aubergine moyenne, coupée en dés.

Millefeuille de courgette et de polenta aux olives
Suivez la recette de base, en ajoutant à la sauce tomate 225 g (1 ¼ tasse) d'olives noires dénoyautées, avant de l'agrémenter de basilic.

Millefeuille de courgette, de courge musquée et de polenta
Suivez la recette de base, en remplaçant 1 courgette verte par 1 petite courgette jaune.

Millefeuille de courgette, de poivron rouge et de polenta
Suivez la recette de base, en faisant revenir 225 g (9 tasses) de poivrons rouges, épépinés et coupés en fines lamelles, en même temps que les courgettes.

Millefeuille de courgette et de polenta au chèvre
Suivez la recette de base, en remplaçant la mozzarella par la même quantité de fromage de chèvre frais.

Variantes

Lasagnes à la courge musquée

Recette de base p. 206

Lasagnes à la courge musquée et aux shiitake
Suivez la recette de base, en remplaçant 225 g (3 tasses) de champignons de Paris par la même quantité de shiitake.

Lasagnes à la citrouille
Suivez la recette de base, en remplaçant la courge musquée par la même quantité de citrouille.

Lasagnes à la courge musquée et à l'origan
Suivez la recette de base, en remplaçant la sauge fraîche par ½ c. à t. d'origan séché.

Lasagnes à la courge musquée et aux noisettes
Suivez la recette de base, en ajoutant au mélange courge-champignons 100 g (¾ tasse) de noisettes, émondées, grillées et hachées.

Lasagnes à la courge musquée et aux épinards
Suivez la recette de base, en ajoutant au mélange courge-champignons 225 g (3 ¾ tasses) de pousses d'épinards fraîches, grossièrement hachées.

Variantes

Ragoût de haricots noirs et de citrouille

Recette de base p. 209

Ragoût de haricots noirs et de courge musquée
Suivez la recette de base, en remplaçant la citrouille par la même quantité de courge musquée.

Ragoût de cocos roses et de citrouille
Suivez la recette de base, en remplaçant les haricots noirs par la même quantité de cocos roses (haricots borlotti).

Ragoût de haricots rouges et de citrouille
Suivez la recette de base, en remplaçant les haricots noirs par la même quantité de haricots rouges.

Ragoût de haricots noirs et de citrouille au piment
Suivez la recette de base, en ajoutant au basilic ¼ de c. à t. de piment en poudre.

Ragoût de haricots noirs et de citrouille à la tomate
Suivez la recette de base, en ajoutant à la préparation aux oignons 350 g (1 ⅓ tasse) de tomates entières en conserve, avec leur jus, avant d'y incorporer la citrouille et le maïs doux.

Variantes

Délice aux trois poivrons

Recette de base p. 210

Délice aux trois poivrons et au chèvre
Suivez la recette de base, en remplaçant le cheddar allégé par la même quantité de fromage de chèvre.

Délice aux trois poivrons et à la mozzarella
Suivez la recette de base, en remplaçant le cheddar allégé par la même quantité de mozzarella.

Délice aux trois poivrons et à la coriandre fraîche
Suivez la recette de base, en agrémentant chaque portion de 2 c. à t. de coriandre fraîche, finement ciselée.

Délice aux trois poivrons et au maïs doux
Suivez la recette de base, en parsemant chaque couche de poivrons de 100 g (½ tasse) de maïs doux, frais ou en conserve.

Délice aux trois poivrons et aux haricots verts
Suivez la recette de base, en ajoutant aux poivrons 100 g (¾ tasse) de haricots verts frais, coupés en tronçons de 2,5 cm (1 po).

Variantes

Mijoté de lentilles et de tubercules

Recette de base p. 213

Mijoté d'orge et de tubercules
Suivez la recette de base, en remplaçant les lentilles par la même quantité d'orge.

Mijoté de quinoa et de tubercules
Suivez la recette de base, en remplaçant les lentilles par la même quantité de quinoa.

Mijoté de lentilles et de tubercules au thym
Suivez la recette de base, en ajoutant aux tomates ½ c. à t. de thym séché.

Mijoté de lentilles et de patates douces
Suivez la recette de base, en ajoutant aux autres tubercules 450 g (1 lb) de patates douces, pelées et coupées.

Mijoté de lentilles et de tubercules au fenouil
Suivez la recette de base, en ajoutant aux tubercules 1 bulbe de fenouil, coupé aux extrémités et grossièrement émincé.

Gâteau de patate douce, de courge et de poire

Recette de base p. 214

Gâteau de patate douce, de courge et de poire allégé
Suivez la recette de base, sans la garniture.

Gâteau de patate douce, de courge et de pomme
Suivez la recette de base, en remplaçant la poire par la même quantité de pomme, pelée et coupée en dés.

Gâteau de patate douce, de courge et de poire, crumble de muesli
Suivez la recette de base, en remplaçant les flocons d'avoine par du muesli.

Gâteau de patate douce, de courge et de poire aux raisins secs
Suivez la recette de base, en ajoutant à la purée de patate douce 100 g (2/3 tasse) de raisins secs.

Variantes

Compotée de chou-fleur au poivron

Recette de base p. 217

Compotée de brocolis au poivron
Suivez la recette de base, en remplaçant le chou-fleur par la même quantité de brocolis.

Compotée de chou-fleur au poivron et à la feta
Suivez la recette de base, en remplaçant le fromage à la crème par la même quantité de feta émiettée.

Compotée de chou-fleur au poivron et aux tomates confites
Suivez la recette de base, en ajoutant à la préparation 75 g (2 ½ oz) de tomates confites, en même temps que vous y incorporez les poivrons rouges.

Compotée de chou-fleur au poivron et aux cœurs d'artichaut
Suivez la recette de base, en ajoutant à la préparation 100 g (⅓ tasse) de cœurs d'artichaut en conserve, égouttés et coupés en morceaux, en même temps que vous y incorporez les poivrons rouges.

Variantes

Poulet au citron et au sarrasin

Recette de base p. 218

Poulet au citron et à l'orge
Suivez la recette de base, en remplaçant le sarrasin par la même quantité d'orge.

Poulet au citron, au sarrasin et aux petits pois
Suivez la recette de base, en ajoutant à la préparation 225 g (1 ⅓ tasse) de petits pois (frais ou surgelés), 5 min avant la fin de la cuisson.

Poulet au citron, au sarrasin et aux olives
Suivez la recette de base, en ajoutant à la préparation 100 g (½ tasse) d'olives noires, dénoyautées et hachées, en même temps que vous la mouillez du bouillon.

Dinde au citron et au sarrasin
Suivez la recette de base, en remplaçant les blancs de poulet par la même quantité de blancs de dinde, sans la peau.

Variantes

Ragoût de dinde à la dijonnaise

Recette de base p. 220

Ragoût de poulet à la dijonnaise
Suivez la recette de base, en remplaçant la dinde par la même quantité de poulet, sans la peau.

Ragoût de dinde à la moutarde en grains
Suivez la recette de base, en remplaçant la moutarde de Dijon par la même quantité de moutarde en grains.

Ragoût de dinde à la moutarde à l'estragon
Suivez la recette de base, en remplaçant la moutarde de Dijon par la même quantité de moutarde à l'estragon.

Ragoût de dinde à la dijonnaise, chutney de mangue
Suivez la recette de base, en mélangeant à la moutarde de Dijon 75 g (1/3 tasse) de chutney de mangue, avant de l'ajouter à la préparation.

Recettes rapides et faciles

Si le temps vous presse, ces recettes sont faites pour vous : elles vous permettront de réaliser en 45 min tout au plus des plats copieux, mais équilibrés... qui dérangeront le moins possible la cuisine !

Curry de poisson minute

Pour 4 personnes

Voici un plat simple et savoureux, prêt en quelques minutes, qui ravira les papilles de ses multiples parfums.

1 c. à s. d'huile de maïs
225 g (1 1/3 tasse) d'oignons, finement ciselés
1 gousse d'ail, finement émincée
1 à 2 c. à s. de pâte de curry de Madras
400 g (1 1/2 tasse) de tomates entières en conserve
20 cl (7/8 tasse) de bouillon de légumes
700 g (1 1/2 lb) de filet de morue fraîche, sans la peau, coupée en petits dés

Dans une grande poêle à fond épais, faites chauffer l'huile à feu moyen et mettez-y l'oignon et l'ail à revenir ; l'oignon doit être tendre et translucide. Ajoutez alors la pâte de curry et poursuivez la cuisson 2 min de plus, sans cesser de remuer. Incorporez ensuite les tomates. Mouillez avec le bouillon, portez à ébullition, puis réduisez le feu. Ajoutez délicatement les morceaux de morue et poursuivez la cuisson 4 à 5 min. Le poisson doit être opaque et se défaire facilement.

Voir variantes p. 247

Hachis Strogonoff

Pour 6 personnes

Voici une version simplifiée – mais délicieuse – du classique bœuf Strogonoff.

450 g (1 lb) de viande de bœuf maigre, hachée
1 oignon, finement émincé
1 gousse d'ail, finement émincée
1 c. à s. de sauce Worcestershire
1/2 c. à t. de sel
1/4 de c. à t. de poivre noir, fraîchement moulu
2 boîtes de crème de champignons
35 cl (1 1/3 tasse) de lait
225 g (3 tasses) de champignons de Paris en conserve, égouttés
2 c. à t. de xérès
5 cl (1/4 tasse) de crème sure
2 c. à s. de persil plat, finement ciselé

Dans une grande poêle à fond épais, faites revenir à feu moyen le bœuf et l'oignon, 5 à 6 min environ. Ajoutez l'ail et poursuivez la cuisson 1 min encore. Égouttez soigneusement, salez et poivrez, puis agrémentez de sauce Worcestershire. Ajoutez la crème de champignons et le lait. Mélangez bien et laissez mijoter 4 à 5 min ; l'appareil doit être bien chaud. Incorporez alors le xérès et la crème sure, et faites cuire 2 min de plus. Retirez la casserole du feu. Parsemez de persil ciselé avant de servir.

Voir variantes p. 248

«Lasagnes» minute

Pour 4 personnes

Vous rêvez de lasagnes, mais n'avez pas le temps de les préparer ? Voici une recette qui vous comblera.

1 c. à s. d'huile d'olive
1 oignon moyen, émincé
2 gousses d'ail, finement émincées
1 poivron rouge moyen, coupé en lamelles
900 g (3 1/2 tasses) de tomates en conserve, concassées
2 c. à s. de basilic frais, finement ciselé
1/2 c. à t. d'origan séché
Sel et poivre noir fraîchement moulu, au goût
700 g (6 tasses) de pâtes fines aux bords festonnés (type reginette ou mafaldine)
75 g (2 1/2 oz) de mozzarella, coupée en dés

Faites bouillir un grand volume d'eau dans une casserole adaptée.
Dans une poêle antiadhésive de 25 cm (10 po) de diamètre, faites chauffer l'huile et mettez-y l'oignon, l'ail et les poivrons rouges à revenir, 10 min ; l'oignon doit être tendre et doré. Ajoutez les tomates, le basilic et l'origan, et laissez mijoter 5 min. Salez et poivrez à votre convenance.
Faites cuire les pâtes à l'eau bouillante, 9 min environ. Égouttez-les soigneusement avant de les verser dans la poêle. Mélangez soigneusement les pâtes et la sauce, et laissez cuire 10 min environ ; la sauce tomate doit épaissir et enrober uniformément les pâtes. Retirez la poêle du feu. Parsemez la préparation de fromage. Couvrez-la quelques instants pour que le fromage fonde.

Voir variantes p. 249

Gratin d'épinards et de champignons

Pour 4 personnes

Le mariage des épinards et des champignons est toujours très harmonieux.

25 g (2 c. à s.) de beurre doux
225 g (3 tasses) de champignons de Paris, émincés
1 gousse d'ail, finement émincée
1 c. à s. de jus de citron frais
500 g (8 tasses) de pousses d'épinards frais
225 g (8 oz) de ricotta
1/4 de c. à t. d'origan séché
1/2 c. à t. de sel
1/4 de c. à t. de Poivre noir fraîchement moulu
1 pincée de noix muscade
6 à 8 rondelles de tomate
100 g (3 1/2 oz) de mozzarella, coupée en dés
50 g (2/3 tasse) de parmesan, râpé

Préchauffez le four à 345 °F (175 °C).
Dans une poêle de taille moyenne, faites fondre le beurre à feu moyen et mettez-y les champignons et l'ail à revenir, 5 min environ ; les champignons doivent être bien tendres. Retirez la poêle du feu. Arrosez de jus de citron et réservez.
Rincez et égouttez les pousses d'épinards. Dans une grande casserole munie d'un couvercle, faites-les cuire à l'étouffée quelques minutes ; elles doivent être ramollies. Égouttez-les de nouveau et hachez-les grossièrement.
Dans un grand saladier, mélangez les épinards hachés avec la ricotta, l'origan, le sel et le poivre, et avec la préparation aux champignons, jusqu'à obtention d'un ensemble homogène. Transvasez le mélange dans un plat allant au four que vous aurez préalablement légèrement beurré. Disposez les rondelles de tomate par-dessus, recouvrez de dés de mozzarella, puis parsemez de parmesan râpé. Enfournez 30 min ; la préparation doit être chaude à cœur et bien dorée sur le dessus.

Voir variantes p. 250

Omelette paysanne à la tomate

Pour 4 personnes

Cette omelette fait un excellent en-cas, à savourer à tout moment de la journée.

450 g (1 lb) de pommes de terre nouvelles, coupées en quartiers
1 c. à s. d'huile d'olive extravierge
1 gousse d'ail, finement émincée
75 g (1/3 tasse) de tomates cerises, coupées en deux
8 œufs, légèrement battus
Sel et poivre noir fraîchement moulu, au goût

Faites bouillir les pommes de terre dans un grand volume d'eau salée, 8 à 10 min ; elles doivent être tendres. Égouttez-les soigneusement.
Dans une grande poêle allant au four, faites chauffer l'huile à feu moyen et mettez-y l'ail à revenir, 1 min.
Préchauffez le gril. Disposez les quartiers de pomme de terre dans la poêle, ajoutez les tomates et versez les œufs battus par-dessus. Salez et poivrez. Laissez cuire environ 5 min, jusqu'à ce que le fond se tienne (vous devez pouvoir le soulever aisément avec une spatule).
Mettez la poêle au gril 3 min, pour que le dessus dore. Découpez en parts et servez.

Voir variantes p. 251

Dinde du lendemain

Pour 4 personnes

Ne laissez pas vos restes de repas de Noël se perdre au fond du réfrigérateur ! Voici une recette innovante, qui vous permettra de les accommoder de manière simple, mais originale. Un régal.

450 g (2 tasses) de dinde cuite, coupée en morceaux
450 g (2 tasses) de restes de légumes sautés ou cuits à la vapeur
10 cl (½ tasse) de jus de cuisson de dinde ou de fond de volaille
450 g (2 tasses) de purée de pommes de terre (ou d'une autre garniture, ou d'un mélange des deux)
Poivre noir fraîchement moulu, au goût

Préchauffez le four à 345 °F (175 °C).
Dans un saladier, mélangez les restes de dinde et de légumes avec le jus de cuisson ou le fond de veau. Versez la préparation dans un plat allant au four (20 × 20 cm ou 8 × 8 po). Recouvrez de purée de pommes de terre, d'une autre garniture ou d'un mélange des deux. Poivrez, puis enfournez 20 à 25 min. La préparation doit être chaude à cœur.

Voir variantes p. 252

Quinoa aux légumes

Pour 8 personnes

Le quinoa ne contenant pas de gluten, ce plat conviendra très bien à un convive souffrant d'une intolérance à cet élément.

350 g de quinoa
70 cl (2 3/4 tasses) d'eau
3 c. à s. d'huile d'olive extravierge
225 g (1 1/3 tasse) d'oignons finement émincés
1 poivron jaune, épépiné et coupé en lamelles
100 g (2 tasses) de blettes, hachées
3 gousses d'ail, finement émincées
225 g (3 tasses) de champignons de Paris, émincés
25 g (1/3 tasse) de persil plat, finement ciselé

Faites cuire le quinoa, préalablement rincé, à feu moyen et à couvert, dans un grand volume d'eau bouillante salée, 15 min environ ; les grains doivent être tendres et avoir absorbé tout le liquide.
Pendant la cuisson du quinoa, faites chauffer à feu moyen, dans une grande poêle, 2 c. à s. d'huile, et mettez-y l'oignon et les poivrons à revenir, 5 min ; l'oignon doit être tendre et translucide. Ajoutez les blettes et l'ail, et poursuivez la cuisson 2 min encore.
Dans une autre poêle, faites chauffer à feu doux le reste d'huile et mettez-y les champignons à revenir, 5 min environ ; ils doivent être tendres. Lorsque le quinoa est cuit (il ne doit plus rester d'eau dans la casserole), mélangez-le avec les champignons et la préparation aux légumes verts. Parsemez de persil avant de servir.

Voir variantes p. 253

Gratin de brocolis et d'artichauts

Pour 4 à 6 personnes

Brocolis, artichauts, oignons et parmesan se marient ici pour composer un gratin aussi savoureux que vitaminé.

700 g (3 ½ tasses) de brocolis, en bouquets
400 g (1 ⅛ tasse) de cœurs d'artichaut en conserve, égouttés et coupés en deux
40 g (3 c. à s.) de beurre doux + 25 g (3 c. à s.), fondu
50 g (⅓ tasse) d'oignons, finement émincés
25 g (¼ tasse) de farine tout usage
Sel et poivre noir fraîchement moulu, au goût
60 cl (2 ½ tasses) de lait entier
100 g (1 tasse) de chapelure fine
100 g (1 tasse) de parmesan, râpé

Préchauffez le four à 345 °F (175 °C).
Faites cuire les brocolis à la vapeur, 6 min environ ; ils doivent être tendres, mais fermes. Égouttez-les soigneusement et garnissez-en le fond d'un plat allant au four, préalablement beurré. Ajoutez les cœurs d'artichaut coupés en deux et mélangez bien.
Dans une grande casserole, faites fondre le beurre à feu doux et mettez-y l'oignon à revenir, 5 min environ ; il doit être translucide. Ajoutez-y la farine, le sel et le poivre, sans cesser de remuer jusqu'à obtention d'un mélange lisse. Continuez de remuer 1 min environ, puis retirez la casserole du feu. Ajoutez ensuite le lait, en fouettant bien, puis replacez le tout sur le feu. Portez à ébullition, toujours en remuant, jusqu'à épaississement. Retirez du feu 1 à 2 min après le premier bouillon. Nappez les brocolis et les artichauts de cette sauce.
Dans un saladier de taille moyenne, mélangez la chapelure, le beurre fondu et le parmesan. Parsemez le dessus du plat de ce mélange. Enfournez 30 à 40 min.

Voir variantes p. 254

Parmentier express

Pour 6 à 8 personnes

Voici une version revisitée du traditionnel hachis Parmentier.

900 g (2 lb) de viande de bœuf maigre hachée, revenue et égouttée
1 c. à s. d'épices à steak
Poivre noir fraîchement moulu, au goût
225 g (1 tasse) de maïs doux, en conserve ou surgelé
4 ou 5 grosses pommes de terre rouges
6 c. à s. de beurre
10 cl (1/2 tasse) de lait entier
1/4 de c. à t. de sel
1 c. à s. de persil frisé, finement ciselé

Préchauffez le four à 375 °F (190 °C).
Garnissez de bœuf haché le fond d'un plat allant au four (23 × 33 × 5 cm ou 9 × 13 × 2 po), préalablement beurré. Saupoudrez d'épices à steak et de poivre noir, et parsemez de maïs doux.
Pelez les pommes de terre et coupez-les en deux. Faites-les bouillir dans un grand volume d'eau, environ 20 min ; elles doivent se défaire lorsqu'on les pique à la fourchette. Égouttez-les bien et réduisez-les en purée à l'aide d'un mixeur ou d'un fouet électrique. Ajoutez-y le beurre et le lait, puis salez et poivrez, en continuant de battre jusqu'à obtention d'une consistance homogène.
Versez la purée dans le plat, par-dessus la viande. Enfournez 20 min ; le dessus doit être doré. Parsemez de persil ciselé avant de servir.

Voir variantes p. 255

Curry de poisson minute

Recette de base p. 231

Curry de poisson minute aux petits pois
Suivez la recette de base, en y ajoutant 225 g (1 1/3 tasse) de petits pois, frais ou surgelés.

Curry de sole minute
Suivez la recette de base, en remplaçant la morue par la même quantité de sole.

Curry de poisson minute aux poivrons
Suivez la recette de base, en ajoutant aux tomates 225 g (9 tasses) de poivrons rouges, épépinés et coupés en lamelles.

Curry de poisson minute à la coriandre fraîche
Suivez la recette de base, en agrémentant les tomates de 25 g (1/3 tasse) de coriandre fraîche, finement ciselée.

Korma de poisson minute
Suivez la recette de base, en remplaçant la pâte de curry de Madras par la même quantité de pâte de korma.

Variantes

Hachis Strogonoff

Recette de base p. 232

Hachis Strogonoff allégé
Suivez la recette de base, en utilisant de la viande extramaigre et de la crème de champignons allégée, et en remplaçant la crème sure par du yogourt nature à 0 % de M.G.

Hachis Strogonoff aux poivrons verts
Suivez la recette de base, en ajoutant aux oignons 225 g (9 tasses) de poivrons verts, épépinés et coupés en lamelles.

Hachis Strogonoff aux champignons de Paris bruns
Suivez la recette de base, en ajoutant aux oignons 175 g (2 ⅓ tasses) de champignons de Paris bruns, frais et émincés.

Hachis Strogonoff aux nouilles
Suivez la recette de base. Pendant la cuisson de la viande et des oignons, portez à ébullition une grande casserole d'eau. Faites-y cuire 450 g (3 tasses) de nouilles aux œufs, selon les instructions portées sur le paquet. Égouttez bien les nouilles. Hors du feu, mélangez-les à la préparation à la viande.

Dinde Strogonoff
Suivez la recette de base, en remplaçant la viande de bœuf par la même quantité de dinde hachée.

Variantes

« Lasagnes » minute

Recette de base p. 235

« Lasagnes » minute à la ricotta
Suivez la recette de base, en ajoutant à la sauce 225 g (8 oz) de ricotta, juste avant de la mélanger aux pâtes.

« Lasagnes » minute au maïs et au cumin
Suivez la recette de base, sans le basilic ni l'origan. Agrémentez les tomates de 1 c. à t. de cumin en poudre et de ½ c. à t. d'épis de maïs doux, frais ou en conserve.

Linguines minute
Suivez la recette de base, en remplaçant les pâtes festonnées par la même quantité de linguines. Réduisez le temps de cuisson des pâtes à 5 min.

« Lasagnes » minute aux champignons
Suivez la recette de base, en ajoutant aux oignons 225 g (3 tasses) de champignons de Paris, émincés.

« Lasagnes » minute aux courgettes
Suivez la recette de base, en ajoutant aux oignons 1 petite courgette, coupée en dés.

Variantes

Gratin d'épinards et de champignons

Recette de base p. 236

Gratin d'épinards et de champignons au bacon
Suivez la recette de base, en ajoutant à la préparation aux épinards 4 ou 5 tranches de bacon rissolées, épongées et émiettées, avant de transvaser le tout dans le plat.

Gratin d'épinards et de champignons aux artichauts
Suivez la recette de base, en ajoutant à la préparation aux épinards 225 g (2/3 tasse) de cœurs d'artichaut en conserve, égouttés et coupés en deux, avant de transvaser le tout dans le plat.

Gratin d'épinards et de champignons aux lentilles
Suivez la recette de base, en ajoutant à la préparation aux épinards 225 g (1 tasse) de lentilles, cuites et égouttées, avant de transvaser le tout dans le plat.

Gratin d'épinards et de champignons épicé
Suivez la recette de base, en agrémentant la préparation aux épinards de 1/4 ou 1/2 c. à t. de purée de piment, avant de la transvaser dans le plat.

Gratin d'épinards et de champignons aux poivrons rouges confits
Suivez la recette de base, en ajoutant à la préparation aux épinards 225 g (1 1/2 tasse) de poivrons rouges confits en conserve, égouttés et coupés en grosses lamelles, avant de transvaser le tout dans le plat.

Variantes

Omelette paysanne à la tomate

Recette de base p. 239

Omelette paysanne à la tomate et à la roquette
Suivez la recette de base, en faisant revenir les tomates avec 25 g (½ tasse) de roquette grossièrement hachée et en garnissant le plat de 25 g (½ tasse) supplémentaires de roquette, juste avant de servir.

Omelette paysanne à la tomate et aux olives
Suivez la recette de base, en faisant revenir les tomates avec 75 g (¼ tasse) d'olives noires, dénoyautées et hachées.

Omelette paysanne à la tomate et au jambon
Suivez la recette de base, en faisant revenir les tomates avec 100 g (3 ½ oz) de jambon fumé, coupé en petits dés.

Omelette paysanne allégée à la tomate
Suivez la recette de base, en remplaçant les 8 œufs par 10 blancs d'œufs.

Variantes

Dinde du lendemain

Recette de base p. 240

Poulet du lendemain
Suivez la recette de base, en remplaçant le reste de dinde par la même quantité de poulet rôti.

Dinde du lendemain aux oignons caramélisés
Suivez la recette de base, en y ajoutant 225 g (1 1/3 tasse) d'oignons émincés, que vous aurez fait caraméliser 12 à 15 min dans 2 c. à s. de beurre doux, fondu. Mélangez soigneusement les oignons et la dinde. Pour la suite, reportez-vous à la recette de base.

Dinde du lendemain aux lentilles
Suivez la recette de base, en y ajoutant 225 g (1 tasse) de lentilles cuites (ou en conserve), bien égouttées. Mélangez soigneusement les lentilles et la dinde. Pour la suite, reportez-vous à la recette de base.

Dinde du lendemain aux scones
Suivez la recette de base, sans la garniture ni la purée de pommes de terre. Préchauffez le four à 400 °F (200 °C). Préparez les scones selon les indications du paquet. Disposez-les par-dessus la dinde et enfournez 18 à 20 min ; les scones doivent être dorés sur le dessus et la préparation chaude à cœur.

Variantes

Quinoa aux légumes

Recette de base p. 243

Quinoa aux légumes et aux graines de tournesol
Suivez la recette de base, en agrémentant chaque portion de 2 c. à s. de graines de tournesol, au moment de servir.

Méli-mélo de quinoa aux légumes
Suivez la recette de base, en remplaçant la moitié du quinoa blanc par du quinoa rouge.

Boulgour aux légumes
Suivez la recette de base, en remplaçant le quinoa par la même quantité de boulgour. Préparez le boulgour selon les indications portées sur le paquet. Pour la suite, reportez-vous à la recette de base.

Quinoa aux légumes et aux raisins secs
Suivez la recette de base, en ajoutant au quinoa 50 g (1/3 tasse) de raisins secs, avant de le mélanger à la préparation aux champignons et aux légumes verts.

Variantes

Gratin de brocolis et d'artichauts

Recette de base p. 244

Gratin de chou-fleur et d'artichauts
Suivez la recette de base, en remplaçant les brocolis par la même quantité de chou-fleur.

Gratin de brocolis, d'artichauts et de cœurs de palmier
Suivez la recette de base, en ajoutant à la préparation aux cœurs d'artichaut 100 g (3 ½ oz) de cœurs de palmier.

Gratin de brocolis et d'artichauts au fromage de chèvre
Suivez la recette de base, en ajoutant à la sauce 150-g (5 oz) de fromage de chèvre émietté, avant d'en napper les légumes.

Gratin de brocolis et de champignons aux tomates confites
Suivez la recette de base, en ajoutant à la préparation aux cœurs d'artichaut 100 g (3 ½ oz) de tomates confites conservées à l'huile.

Variantes

Parmentier express

Recette de base p. 246

Parmentier express à l'agneau
Suivez la recette de base, en remplaçant le bœuf haché par la même quantité d'agneau haché, revenu et égoutté.

Parmentier express aux petits pois
Suivez la recette de base, en remplaçant le maïs par 225 g (1 1/3 tasse) de petits pois, frais ou surgelés.

Parmentier express végétarien
Suivez la recette de base, en remplaçant le bœuf haché par 900 g (2 lb) de pâté de protéines végétales.

Parmentier express épicé à la ricotta
Suivez la recette de base, sans la purée. Dans un saladier, mélangez 450 g (1 lb) de ricotta, 2 œufs, 1/2 c. à t. d'origan séché et 50 g (2 oz) de mozzarella. Nappez la viande de cette préparation et enfournez 20 min ; le dessus doit être doré.

Parmentier express épicé aux panais
Suivez la recette de base, en utilisant seulement 2 grosses pommes de terre rouges et 4 gros panais. Pelez les panais, coupez-les en quartiers et enlevez-en le cœur dur. Détaillez-les en petits dés. Faites bouillir les légumes 20 min. Pour la suite, reportez-vous à la recette de base.

Grands classiques du monde

Les recettes proposées ici vous invitent à explorer – culinairement – des horizons lointains, afin d'entraîner vos hôtes dans un savoureux voyage aux quatre coins du monde.

Tajine marocain

Pour 4 à 6 personnes

Voici une recette de poulet très parfumée. Si vous ne disposez pas d'un authentique tajine (plat en terre cuite d'origine nord-africaine), vous pouvez parfaitement vous contenter d'une cocotte, sur la plaque.

2 c. à s. d'huile d'olive extravierge
900 g (2 lb) de blanc de poulet, sans la peau, coupé en petits dés
½ oignon, finement émincé
3 gousses d'ail, finement émincées
2 carottes, coupées en tronçons
400 g (1 ½ tasse) de tomates entières en conserve
425 g (2 ⅓ tasses) de pois chiches en conserve, rincés
35 cl (1 ⅓ tasse) de bouillon de légumes
1 c. à s. de jus de citron
1 c. à s. de sucre
1 c. à t. de sel
1 c. à t. de coriandre en poudre
1 pincée de piment de Cayenne

Dans une grande poêle, faites chauffer l'huile à feu moyen et mettez-y le poulet et les oignons à revenir, 12 min environ ; la viande doit être bien dorée. Ajoutez l'ail, puis, après 2 min de cuisson, les carottes, les tomates avec leur jus, les pois chiches et le bouillon. Ajoutez encore le jus de citron, le sucre, le sel, la coriandre et le piment de Cayenne. Portez le tout à ébullition, puis réduisez le feu et laissez mijoter 30 min ; le poulet doit être bien cuit et les légumes tendres.
Si vous disposez d'un authentique tajine, transvasez-y la préparation dès l'ébullition. Enfournez 30 à 40 min dans un four préchauffé à 375 °F (190 °C).

Voir variantes p. 273

Pot-au-feu

Pour 6 à 8 personnes

Ce plat mérite bien que l'on consacre un peu de temps à sa préparation. Il constitue à lui seul à la fois l'entrée – les tartines de moelle – et le plat principal – une viande de bœuf moelleuse et tendre, accompagnée de savoureux légumes. N'oubliez pas qu'il vous faudra de la ficelle de cuisine et de la mousseline.

900 g (2 lb) de jarret de bœuf, avec os
900 g (2 lb) de bœuf à braiser, en un morceau
900 g (2 lb) de plat de côtes
900 g (2 lb) de gros os à moelle
1 gros oignon, pelé
4 clous de girofle
2 brins de thym frais
2 feuilles de laurier
2 branches de céleri, avec leurs feuilles
6 brins de persil frisé
1 c. à s. de gros sel
1 c. à t. de Poivre noir fraîchement moulu
10 carottes, pelées et grossièrement coupées
8 poireaux, lavés et débarrassés de leurs extrémités, coupés en deux dans la longueur, puis en tronçons de 2,5 cm (3/4 po)
700 g (5 tasses) de navets, pelés et coupés en morceaux
700 g (1 1/2 lb) de pommes de terre nouvelles
1 baguette, finement tranchée et grillée, pour le service

À l'aide de ficelle de cuisine, attachez le jarret de bœuf, la viande à braiser et le plat de côtes, et placez le tout dans une grande cocotte en fonte. Ficelez également les os à moelle, que vous aurez préalablement enveloppés dans de la mousseline, et disposez-les dans la cocotte. Couvrez d'eau et portez à ébullition, à feu moyen. Dès le premier bouillon, réduisez le feu et laissez mijoter. Mettez un oignon piqué de clous de girofle dans la cocotte. Ajoutez-y le thym, les feuilles de laurier, les branches de céleri et le persil, que vous aurez préalablement emballés dans de la mousseline pour composer un bouquet garni. Salez et poivrez, incorporez les carottes,

les poireaux et les navets, et laissez mijoter 40 min. Ajoutez encore les pommes de terre, et poursuivez la cuisson 20 min de plus. Les légumes doivent être tendres.
Débarrassez la viande de sa ficelle. Disposez les morceaux dans un grand plat et entourez-les des légumes. Couvrez de papier d'aluminium et réservez au chaud. Placez les os à moelle dans un autre plat. Évidez-les soigneusement. Étalez la moelle sur les rondelles de baguette grillées. Servez en guise d'entrée, pendant que vous faites réduire le bouillon, ou encore en accompagnement de la viande et des légumes. Ôtez l'oignon et passez le bouillon au chinois dans une casserole de taille moyenne. Portez-le à ébullition à feu moyen, puis laissez mijoter, 15 min environ ; le liquide doit réduire un peu. Servez le bouillon en même temps que la viande et les légumes.

Voir variantes p. 274

Jambalaya

Pour 6 à 8 personnes

Classique de la cuisine créole de Louisiane, le jambalaya accommode diverses viandes.

2 c. à s. d'huile de maïs
450 g (1 lb) de poulet, sans la peau, coupé en dés
Sel et poivre noir fraîchement moulu + 2 c. à t.
450 g (1 lb) de saucisse fumée, en morceaux
1 oignon, finement émincé
1 poivron rouge, épépiné et coupé en lamelles
4 branches de céleri, finement émincées
4 gousses d'ail, finement émincées
500 g (4 tasses) de purée de tomates
800 g (3 tasses) de tomates entières en conserve
2 l (8 ½ tasses) de fond de volaille
2 c. à t. de piment de Cayenne
1 c. à t. de poivre blanc, fraîchement moulu
1 c. à t. d'origan séché
½ c. à t. de thym séché
2 feuilles de laurier
900 g (4 ½ tasses) de riz long grain
450 g (1 lb) de crevettes roses, cuites et décortiquées

Dans une grande cocotte en fonte, faites chauffer à feu moyen 1 c. à s. d'huile et mettez-y le poulet à revenir, 4 min environ de chaque côté. Salez et poivrez. Réservez dans un plat. Dans la même cocotte, faites revenir les morceaux de saucisse, 3 min de chaque côté. Réservez avec le poulet. Toujours dans la même cocotte, faites sauter l'oignon, le poivron et le céleri, 5 min environ. Ajoutez l'ail et, 1 min plus tard, la purée de tomates. Ajoutez encore les tomates en conserve, puis mouillez de 45 cl (1 ¾ tasse) de bouillon, en déglaçant bien les parois de la cocotte. Quand le tout présente une consistance à peu près homogène, agrémentez-le de piment de Cayenne, de poivre noir et blanc, d'origan, de thym et de laurier. Incorporez le poulet et la saucisse, avant d'ajouter le reste de bouillon et le riz. Mélangez, couvrez et laissez mijoter 20 à 25 min ; le riz doit avoir absorbé le plus possible de liquide. Réduisez encore le feu, ajoutez les crevettes et poursuivez la cuisson 10 min ; les crevettes doivent être cuites, et la sauce doit avoir épaissi.

Voir variantes p. 275

Cassoulet simplifié

Pour 4 à 6 personnes

La perspective de la préparation d'un authentique cassoulet découragerait plus d'un cuisinier plein d'enthousiasme... Cette version simplifiée, aussi savoureuse que le plat originel, requiert moins de temps. Comment joindre l'utile à l'agréable !

350 g (1 ¾ tasse) de haricots blancs secs, trempés depuis la veille
275 g (½ lb) de poitrine de porc, sans la couenne, finement tranchée
150 g (⅓ lb) de bacon en tranches épaisses, coupé en dés de 1 cm (⅓ po) de côté
900 g (2 lb) d'épaule d'agneau, coupée en morceaux de 4 cm (1 ½ po) de côté
1 gros oignon, finement émincé
1 poireau, lavé et coupé en fine julienne
2 gousses d'ail, finement émincées
400 g (1 ½ tasse) de tomates entières en conserve
3 brins de thym frais
2 feuilles de laurier
25 cl (1 tasse) d'eau
25 cl (1 tasse) de fond de volaille
225 g (2 ¼ tasses) de chapelure
50 g (⅔ tasse) de persil plat, finement ciselé

Préchauffez le four à 375 °F (190 °C).
Égouttez soigneusement les haricots blancs et rincez-les plusieurs fois ; la dernière eau de rinçage doit être claire. Mettez-les dans une casserole de taille moyenne et couvrez d'eau. Portez à ébullition et laissez mijoter, 15 min environ ; les haricots doivent être tendres. Égouttez et réservez.
Dans une grande cocotte en fonte, faites rissoler à feu moyen les tranches de porc, 3 min environ. Disposez-les dans un plat et réservez. Dans la même cocotte, faites griller le bacon, 7 à 8 min ; elles doivent être bien croustillantes. Réservez-les avec le porc.
Toujours dans la même cocotte, dans le jus de cuisson du porc et du bacon, mettez l'agneau à dorer, 4 min de chaque côté. Réservez.

Videz l'excès de gras de la cocotte, en en réservant 2 c. à s. Mettez-y les oignons et le poireau à rissoler à feu moyen, 4 min environ. Ajoutez l'ail et poursuivez la cuisson, 1 min environ. Incorporez les tomates, légèrement concassées, avec leur jus, ainsi que le thym et les feuilles de laurier. Mouillez avec l'eau et le bouillon. Remettez les diverses viandes dans la cocotte, augmentez le feu et portez le tout à ébullition. Couvrez, puis enfournez 45 min.
Dans un saladier de taille moyenne, mélangez la chapelure avec le persil. Retirez la cocotte du four, ôtez le thym et le laurier, puis parsemez la préparation du mélange chapelure-persil. Enfournez de nouveau, à découvert, 45 min ; le liquide de cuisson doit être presque totalement absorbé par les haricots.

Voir variantes p. 276

Goulasch

Pour 6 personnes

Le secret de la réussite du goulasch hongrois réside surtout dans la qualité et la quantité du paprika utilisé. Commencez avec 2 c. à s. de ce condiment et mettez-en davantage si nécessaire, selon votre goût.

900 g (2 lb) de bœuf à braiser, coupé en dés de 2,5 cm (1 po) de côté
1 c. à t. de sel + 1 pincée
2 c. à s. d'huile de maïs
2 oignons, émincés
2 c. à s. de paprika hongrois
2 feuilles de laurier
1 l (4 tasses) d'eau
4 pommes de terre blanches, pelées et coupées en dés
¼ de c. à t. de Poivre noir fraîchement moulu
50 g (⅓ tasse) de farine tout usage
1 œuf
Crème sure

Assaisonnez le bœuf de ½ c. à t. de sel. Dans une grande cocotte, faites chauffer l'huile à feu moyen et mettez-y les oignons à revenir, 5 min ; ils doivent être tendres et translucides. Ajoutez le bœuf, le paprika et le laurier, et faites rissoler le tout, 8 min environ ; la viande doit être bien dorée. Réduisez le feu et laissez mijoter 1 h. Mouillez avec l'eau, puis ajoutez les pommes de terre, le poivre et ½ c. à t. de sel. Couvrez bien et poursuivez la cuisson 20 à 30 min ; la viande doit être tendre et les pommes de terre doivent être bien cuites.
Dans un petit saladier, mélangez au fouet électrique l'œuf et la farine additionnée de sel. Réservez 30 min.
Déposez de petites cuillerées de ce mélange dans la sauce du goulasch. Lorsque les quenelles sont remontées à la surface, couvrez et laissez mijoter le tout 5 min. Servez dans des bols et accompagnez d'un peu de crème sure.

Voir variantes p. 277

Moussaka

Pour 4 à 6 personnes

Servez ce plat grec délicieusement parfumé avec une belle miche de pain bien croustillante, pour permettre à vos hôtes de «saucer» à leur guise.

700 g (4 tasses) d'aubergines
3 c. à s. d'huile d'olive extravierge
1 gros oignon, finement émincé
400 g (14 oz) d'agneau haché
2 gousses d'ail, finement émincées
1 bâton de cannelle
1 1/2 c. à t. d'origan séché
275 g (1 3/8 tasse) d'épinards surgelés, dégelés et bien égouttés
275 g (1 1/4 tasse) de sauce tomate du commerce
1 cube de bouillon de volaille déshydraté biologique
Sel et poivre noir fraîchement moulu, au goût
25 g (2 c. à s.) de beurre doux
25 g (1/4 tasse) de farine tout usage
35 cl (1 1/3 tasse) de lait
1 pincée de noix muscade, fraîchement râpée
2 c. à t. de zeste de citron, fraîchement râpé
50 g (1/2 tasse) de parmesan, fraîchement râpé

Préchauffez le gril. Coupez les aubergines en tranches de 1,5 cm (1/2 po) d'épaisseur et badigeonnez-les de 1 c. à s. d'huile d'olive. Faites-les griller 5 min. Disposez-les ensuite sur une grille garnie d'un torchon propre, pour les laisser dégorger.

Dans une grande poêle, faites chauffer à feu moyen le reste de l'huile d'olive et mettez-y les oignons à rissoler, jusqu'à ce qu'ils deviennent translucides. Ajoutez ensuite l'agneau haché, puis l'ail, la cannelle, l'origan, les épinards, la sauce tomate et le cube de bouillon, que vous prendrez soin d'écraser à la cuillère en bois pour qu'il se dissolve bien. Laissez mijoter 10 min environ, en remuant de temps à autre. Retirez du feu. Ôtez le bâton de cannelle. Rectifiez l'assaisonnement à votre goût.

Dans une petite casserole, faites fondre le beurre à feu doux. Ajoutez-y la farine et fouettez bien, jusqu'à obtention d'un roux homogène. Toujours en fouettant (pour éviter la formation de grumeaux), incorporez le lait. Poursuivez la cuisson 5 min environ ; la sauce doit épaissir un peu. Assaisonnez de noix muscade et de zeste de citron râpé. Réservez.
Garnissez le fond d'un grand plat allant au four de la préparation à la viande. Disposez par-dessus les rondelles d'aubergine. Nappez le tout de béchamel et parsemez de parmesan. Enfournez 20 à 25 min ; le dessus doit être bien gratiné.

Voir variantes p. 278

Irish stew

Pour 4 personnes

Pour cette recette, utilisez des côtes d'agneau, les os apportant une saveur incomparable à ce ragoût vedette de la cuisine irlandaise.

4 côtes d'agneau, de 2,5 cm (1 po) d'épaisseur (de préférence près de la selle)
4 carottes, pelées et coupées en tronçons
3 oignons, grossièrement émincés
Sel et poivre noir fraîchement moulu, au goût
1/2 c. à t. de thym séché
1 c. à t. de sauce Worcestershire
35 cl (1 1/3 tasse) de consommé de bœuf ou d'agneau
4 pommes de terre rouges, pelées et coupées en dés
50 g (4 c. à s.) de beurre doux
25 g (1/4 tasse) de farine tout usage
2 c. à s. de persil frisé, finement ciselé

Préchauffez le four à 345 °F (175 °C).
Débarrassez l'agneau d'un éventuel excès de gras et disposez-le dans une grande poêle à fond épais. Faites rissoler à feu moyen 6 à 8 min, puis mettez dans un plat et ôtez le gras restant. Remettez dans la poêle et faites dorer 2 min de plus de chaque côté, puis disposez-les dans un grand plat allant au four. Recouvrez des carottes et des oignons. Salez et poivrez, agrémentez de thym et de sauce Worcestershire. Mouillez le tout avec le consommé. Ajoutez les pommes de terre. Salez et poivrez à nouveau. Couvrez le plat et enfournez 1 h 45.
Quelques minutes avant de sortir le plat du four, préparez un roux. Dans une casserole de taille moyenne, faites chauffer le beurre à feu moyen. Ajoutez-y la farine et fouettez bien, jusqu'à obtention d'un roux homogène. Au bout de 2 min de cuisson, retirez la casserole du feu. Toujours en fouettant, incorporez au roux la plus grande partie du jus de cuisson et laissez mijoter jusqu'à obtention d'une sauce lisse. Versez cette sauce dans le plat de viande. Mélangez bien, puis servez après avoir parsemé de persil.

Voir variantes p. 279

Risotto de pétoncles

Pour 4 personnes

Ce risotto exquis doit son parfum particulier à la purée de courgettes, qui complémente avantageusement la saveur des pétoncles.

225 g (1 tasse) de tomates cerises
4 c. à s. d'huile d'olive extravierge + 2 c. à t.
Sel et poivre noir fraîchement moulu, au goût
175 g (1 tasse) d'oignons, émincés
1 gousse d'ail, finement émincée
450 g (3 ½ tasses) de courgettes, coupées en dés
5 cl (¼ tasse) de jus de citron frais
450 g (2 ¼ tasses) de riz arborio
45 à 70 cl (1 ¾ à 2 ¾ tasses) de fond de volaille
25 g (¼ tasse) de parmesan, râpé
18 pétoncles moyens
25 g (⅓ tasse) de persil, finement ciselé

Préchauffez le four à 265 °F (130 °C).
Faites revenir les tomates dans 2 c. à s. d'huile. Salez et poivrez, puis disposez-les sur une plaque de cuisson préalablement beurrée. Enfournez 1 h. Réservez.
Dans une poêle, faites chauffer à feu moyen 1 c. à s. d'huile et mettez-y l'oignon à revenir, 4 min environ, en remuant souvent. Ajoutez l'ail, puis, 1 min après, les courgettes. Laissez cuire 5 min environ. Agrémentez de 1 c. à s. d'huile et du jus de citron avant de réduire en purée au mixeur plongeur. Réservez.
Dans une grande poêle, faites chauffer 1 c. à s. d'huile d'olive à feu moyen et mettez-y le riz à revenir, en mélangeant pour bien l'enduire de matière grasse. Mouillez de 25 cl (1 tasse) de bouillon à la fois et remuez sans discontinuer ; le liquide doit être totalement absorbé et le riz tendre. Incorporez la purée de courgettes et le parmesan, et mélangez bien. Réservez au chaud.
Dans une grande poêle, faites chauffer le reste de l'huile et mettez-y les pétoncles et les tomates à revenir, 5 à 6 min. Salez et poivrez. Mélangez avec le risotto et parsemez de persil.

Voir variantes p. 280

Carbonnade

Pour 6 personnes

Ce grand classique de la cuisine belge tient son nom de la viande que l'on faisait cuire sur les braises de charbon.

50 g (4 c. à s.) de beurre ou de lard
1,4 kg (3 lb) de viande de bœuf à braiser, débarrassée du gras et coupée en dés
350 g (2 ⅓ tasses) d'oignons, finement émincés
2 gousses d'ail, finement émincées
Sel et poivre noir fraîchement moulu, au goût
70 cl (2 ¾ tasses) de bière belge
25 cl (1 tasse) de consommé de bœuf
2 c. à s. de cassonade
1 feuille de laurier
½ c. à t. de thym séché
1 c. à s. de persil frisé, finement ciselé
25 g (¼ tasse) de farine tout usage
25 cl (1 tasse) d'eau

Préchauffez le four à 320 °F (160 °C).
Dans une grande cocotte allant au four, faites fondre à feu moyen du beurre ou du lard et mettez-y la viande à revenir, 10 min environ. Disposez dans un plat et réservez.
Dans la même cocotte, faites revenir les oignons, 8 min environ ; ils doivent être tendres et translucides. Ajoutez l'ail, salez et poivrez, puis, après 2 min de cuisson, mouillez avec la bière et le consommé de bœuf. Remettez la viande dans la cocotte. Elle doit être totalement immergée dans le liquide. Si ce n'est pas le cas, ajoutez un peu d'eau. Incorporez ensuite le sucre, le laurier, le thym et le persil. Couvrez, puis enfournez 1 h 30.
Dans un petit saladier, mélangez au fouet la farine et l'eau. Versez le mélange en cocotte, en remuant bien pour éviter la formation de grumeaux. Poursuivez la cuisson à couvert sur la plaque 15 min environ, en remuant de temps à autre. Retirez la feuille de laurier juste avant de servir.

Voir variantes p. 281

Variantes

Tajine marocain

Recette de base p. 257

Tajine d'agneau
Suivez la recette de base, en remplaçant le poulet par la même quantité d'agneau désossé, coupé en dés.

Tajine de veau
Suivez la recette de base, en remplaçant le poulet par la même quantité de filet de veau, coupé en dés.

Tajine de bœuf
Suivez la recette de base, en remplaçant le poulet par la même quantité de bœuf à braiser, coupé en dés.

Tajine marocain, couscous aux raisins secs
Suivez la recette de base et servez le tajine accompagné de couscous aux raisins (p. 192).

Tajine marocain aux amandes
Suivez la recette de base, en garnissant chaque portion de 2 c. à s. d'amandes effilées.

Variantes

Pot-au-feu

Recette de base p. 258

Pot-au-feu à la moutarde en grains
Suivez la recette de base, en tartinant chaque toast de 1/4 de c. à t. de moutarde en grains, avant d'y étaler la moelle.

Pot-au-feu au raifort
Suivez la recette de base, en tartinant chaque toast de 1/4 de c. à t. de raifort, avant d'y étaler la moelle.

Pot-au-feu à la cannelle
Suivez la recette de base, en ajoutant 1 bâton de cannelle au bouquet garni.

Pot-au-feu aux côtes de porc
Suivez la recette de base, en remplaçant le plat de côtes par la même quantité de côtes de porc.

Pot-au-feu aux pickles
Suivez la recette de base, en garnissant chaque toast de pickles.

Variantes

Jambalaya

Recette de base p. 261

Jambalaya au jambon
Suivez la recette de base, en remplaçant les crevettes par la même quantité de dés de jambon fumé.

Jambalaya à la créole
Suivez la recette de base, en remplaçant le piment de Cayenne, les poivres noir et blanc, le thym et l'origan par 2 c. à s. d'épices créoles.

Jambalaya aux pâtes
Suivez la recette de base, sans le riz. N'utilisez que 1 l (4 tasses) de bouillon et 350 g (2 ½ tasses) de purée de tomates. Faites cuire 450 g (4 tasses) de rigatoni selon les indications portées sur le paquet. Mélangez les pâtes et le jambalaya, puis transvasez le tout dans un grand plat allant au four. Enfournez 10 à 15 min dans un four préchauffé à 345 °F (175 °C).

Jambalaya à la perche du Nil
Suivez la recette de base, en remplaçant le poulet par la même quantité de filets de perche du Nil, sans la peau et coupés en petits morceaux.

Jambalaya de dinde
Suivez la recette de base, en remplaçant le poulet par la même quantité de blanc de dinde, sans la peau et coupé en petits morceaux.

Variantes

Cassoulet simplifié

Recette de base p. 262

Cassoulet simplifié au confit de canard

Suivez la recette de base, en y ajoutant du confit de canard. Préchauffez le four à 400 °F (200 °C). Disposez 6 cuisses de confit dans un grand plat et enfournez 15 min. Détachez la viande des os et coupez-la en lamelles. Réduisez la chaleur du four à 375 °F (190 °C). Posez le confit sur les haricots et parsemez de chapelure. Pour la suite, reportez-vous à la recette de base.

Cassoulet simplifié aux pois chiches

Suivez la recette de base, en remplaçant les haricots par des pois chiches secs.

Cassoulet simplifié à la pancetta

Suivez la recette de base, en remplaçant le bacon par de la pancetta, en dés.

Cassoulet simplifié aux clous de girofle

Suivez la recette de base, en y ajoutant 1 oignon supplémentaire, coupé en quartiers, chaque quartier étant piqué d'un clou de girofle.

Cassoulet simplifié aux merguez

Suivez la recette de base, en y ajoutant 450 g (1 lb) de merguez, coupées en tronçons de 2,5 cm (1 po). Faites dorer avec les autres viandes, 3 min environ de chaque côté. Réservez, puis ajoutez aux haricots en même temps que les autres viandes.

Variantes

Goulasch

Recette de base p. 265

Goulasch aux carottes
Suivez la recette de base, en ajoutant aux pommes de terre 3 ou 4 carottes, pelées et coupées en tronçons.

Goulasch aux tomates
Suivez la recette de base, en réduisant le volume d'eau à 70 cl (2 ¾ tasses). Ajoutez à la préparation 400 g (1 ½ tasse) de tomates entières en conserve, avec leur jus, en même temps que l'eau et les pommes de terre.

Goulasch aux poivrons
Suivez la recette de base, en ajoutant à la préparation, en même temps que l'oignon, 1 poivron rouge, épépiné et coupé en fines lamelles.

Goulasch aux olives
Suivez la recette de base, en ajoutant à la préparation 150 g (¾ tasse) d'olives farcies aux poivrons, avant d'y plonger les quenelles.

Goulasch fumé
Suivez la recette de base, en remplaçant 1 c. à t. de paprika hongrois par du paprika fumé.

Variantes

Moussaka

Recette de base p. 266

Moussaka au bœuf
Suivez la recette de base, en remplaçant l'agneau haché par la même quantité de viande de bœuf maigre, hachée.

Moussaka végétarienne
Suivez la recette de base, en remplaçant l'agneau haché par la même quantité de pâté de protéines végétales.

Moussaka à la chapelure
Suivez la recette de base, en parsemant la préparation de 50 g (½ tasse) de chapelure mélangée à 25 g (2 c. à s.) de beurre doux fondu et à 25 g (¼ tasse) de parmesan râpé.

Moussaka aux courgettes
Suivez la recette de base, en remplaçant 225 g (2 tasses) d'aubergines par la même quantité de courgettes, non pelées et coupées en tranches.

Variantes

Irish stew

Recette de base p. 269

Irish stew au panais

Suivez la recette de base, en ajoutant à la préparation 1 petit panais, pelé et coupé en dés, en même temps que la pomme de terre.

Irish stew aux petits pois

Suivez la recette de base, en ajoutant à la préparation 225 g (1 ⅓ tasse) de petits pois, frais ou surgelés, en même temps que les carottes.

Irish stew au céleri

Suivez la recette de base, en ajoutant à la préparation 2 branches de céleri, coupées en dés, en même temps que les carottes.

Irish stew au bœuf

Suivez la recette de base, en remplaçant l'agneau par 700 g (2 lb) de bœuf à braiser, coupé en dés.

Variantes

Risotto de pétoncles

Recette de base p. 270

Risotto de crevettes
Suivez la recette de base, en remplaçant les pétoncles par 700 g (2 lb) de crevettes roses crues, décortiquées et nettoyées. Faites revenir les crevettes jusqu'à ce qu'elles deviennent roses et opaques.

Risotto de clams
Suivez la recette de base, en remplaçant les pétoncles par 450 g (½ lb) de clams cuits (qu'il ne faut pas faire rissoler).

Risotto de pétoncles au chou-fleur
Suivez la recette de base, en passant au four, en même temps que les tomates, 1 chou-fleur, séparé en bouquets. Badigeonnez les légumes de 2 c. à t. d'huile d'olive, avant de les enfourner.

Risotto de pétoncles au Saint-Agur
Suivez la recette de base, en remplaçant le parmesan râpé par 100 g (3 ½ oz) de Saint-Agur (ou tout autre fromage persillé), émietté.

Variantes

Carbonnade

Recette de base p. 272

Carbonnade aux panais
Suivez la recette de base, en ajoutant à la préparation 2 panais, pelés et coupés en gros dés, avant de les enfourner pour le dernier quart d'heure de cuisson.

Carbonnade au bacon
Suivez la recette de base. Commencez par faire revenir 4 ou 5 tranches de bacon dans une grande cocotte, 6 min environ. Disposez le bacon bien croustillant dans un plat et réservez. Omettez le beurre ou le lard et faites revenir le bœuf dans le jus de cuisson du bacon. Remettez le bacon émietté dans la cocotte en même temps que le bœuf braisé.

Carbonnade aux croûtons
Suivez la recette de base, en agrémentant chaque portion de 25 g de croûtons.

Carbonnade à la moutarde de Dijon
Suivez la recette de base, en ajoutant à la préparation 1 c. à t. de moutarde de Dijon, avant d'y ajouter la farine et l'eau.

Index

D

Q

R

S

T

U

V

W

X

Y

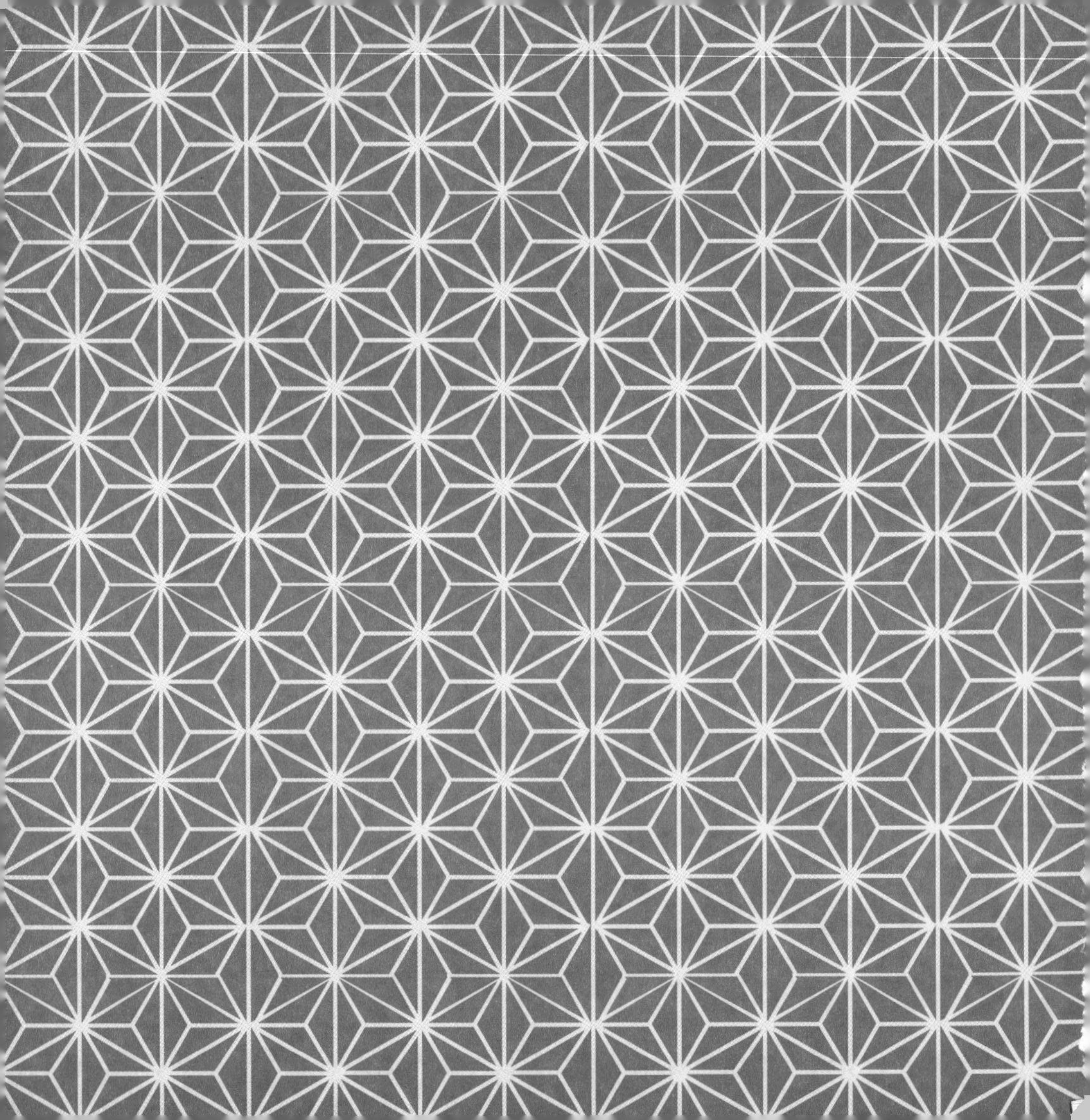